9788508031986
CB142792

Domingos Olímpio

LUZIA-HOMEM

TEXTO INTEGRAL
estabelecido por
Afrânio Coutinho e Maria Filgueiras

9.ª edição

Série Bom Livro
dirigida por Jiro Takahashi

editora ática

Obra aprovada pela Equipe Técnica do Livro e Material Didático, Proc. n.º 1397/75, publicado no Diário Oficial do Estado de São Paulo de 02-12-75.

NOTAS DA EDITORA E SUPLEMENTO DE TRABALHO:
Ernani Leopoldino de Andrade

ILUSTRAÇÕES DA CAPA E DO SUPLEMENTO DE TRABALHO:
Jandira Lorenz

CAPA (LAYOUT):
Ary Almeida Normanha

CIP-Brasil. Catalogação-na-Publicação
Câmara Brasileira do Livro, SP

O39L
9.ed.

Olímpio, Domingos, 1850-1906.
Luzia-homem / Domingos Olímpio ; texto integral estabelecido por Afrânio Coutinho e Maria Filgueiras. — 9. ed. — São Paulo : Ática, 1983.
(Série Bom livro)

1. Romance brasileiro I. Coutinho, Afrânio, 1911- II. Filgueiras, Maria. III. Título.

82-1650 CDD—869.93

Índice para catálogo sistemático:
1. Romances : Literatura brasileira 869.93

1983

Editora Ática S.A. - R. Barão de Iguape, 110 - Tel.: PBX 278-9322 (50 Ramais) - C. Postal 8656 - End. Telegráfico "Bomlivro" - S. Paulo

DADOS BIOGRÁFICOS

1850

Domingos Olímpio Braga Cavalcanti nasce em Sobral, no Estado do Ceará, a 18 de setembro.
Foram seus pais: Antônio Raimundo de Holanda Cavalcanti e Rita de Cássia Cavalcanti.

1873

Bacharela-se em Direito na Faculdade de Recife.
Regressa ao Ceará, onde exerce intensa atividade jornalística, como abolicionista e republicano.

1875

Casa-se com D. Adelaide Ribeiro.
É nomeado Promotor Público de Sobral.
Sua atividade política, em oposição aos Aciolis, que constituíam a situação dominante, granjeou-lhe uma cadeira de Deputado à Assembléia Provincial.

1879

Muda-se para Belém do Pará, forçado pela situação política.

1891

Transfere-se para o Rio de Janeiro, onde continuou a advogar e exercer o jornalismo.

1892

Após a morte da primeira esposa, casa-se com D. Ana Augusta Braga Torres, sua prima.
Faz parte da Missão Rio Branco, na Questão das Missões.

1903

Publica *Luzia-Homem*.
Fundação da Revista *Os Anais*, onde escreve continuamente sobre assuntos políticos e literários (Pseudônimo: Pojucan).
No Rio de Janeiro, continua a exercer a advocacia e o jornalismo.

1906

Falece no Rio de Janeiro, a 6 de outubro.

OBRAS DO AUTOR

PUBLICADAS

Luzia-Homem (romance), *O Almirante* (romance).

INÉDITAS

Rochedos que Choram, *A Perdição*, *Túnica de Néssus*, *Tântalo* (dramas); *Um Par de Galhetas*, *Domitília* (comédia); *Os Maçons e o Bispo* (episódio burlesco); *História da Missão Especial em Washington*, *A Questão do Acre*, *A Loucura na Política*, *Uirapuru*, *O Negro*.

Apresentação

Afrânio Coutinho

Domingos Olímpio Braga Cavalcanti (1850-1906) pertence ao pequeno grupo de escritores que constituíram o Naturalismo no Brasil. Seu romance Luzia-Homem *(1903) é dos últimos da escola Sabe-se que o movimento naturalista não teve no Brasil um papel profundo, e as obras a que deu lugar, escassas em número, não alcançaram, a não ser* O Cortiço, *de Aluísio Azevedo, um alto grau de realização técnica. Defeito da escola? De qualquer modo, no entanto, foi larga a impregnação das suas idéias e técnicas por toda a parte, a começar pela obra de Machado de Assis, que, cioso de sua independência, e reagindo muito embora contra seus exageros, não ficou imune à sua influência.*

A nota naturalista é patente em Luzia-Homem. *E não será mister referir Eça de Queirós, como a influência mais marcante no livro, como aliás na maioria, senão em todos os espécimes da escola no Brasil.*

Foi na lista da ficção regionalista sobretudo que o Naturalismo encontrou campo de maior realização. O regionalismo nordestino em particular começou sob a égide do Naturalismo. Se Franklin Távora é um romancista de transição, seu O Cabeleira *(1876) pode ser considerado o ponto de partida do regionalismo nordestino, já denotando a marca realista. Mas em José do Patrocínio, com* Os Retirantes *(1879), essa marca é forte, já no sentido naturalista. Também os romances de Inglês de Sousa de 1876 e 1877, anteriores portanto a* O Missionário *(1888), já denotam a penetração naturalista. O Naturalismo de Aluísio Azevedo só apareceria em 1881. E depois os livros de Adolfo Caminha.*

O que, porém, releva assinalar no caso de Domingos Olímpio, com Luzia-Homem, *é a importância da obra na linhagem do regionalismo nordestino. Situando* O Cabeleira *(1876) como o marco inicial da série, a genealogia inclui* Os Retirantes *(1879) de José do Patrocínio,* A Fome *(1890) e* Os Brilhantes *(1895) de Rodolfo Teófilo,* Luzia-Homem *(1903) de Domingos Olímpio,* Aves de Arribação *(1913) de Antônio Sales,* Dona Guidinha do Poço *(ca. 1891) de Oliveira Paiva, os romances de Papi Júnior e diversos outros, até atingir Gustavo Barroso e Mário Sete, cujo romance* Senhora de Engenho *(1921) é o precursor do ciclo da cana-de-açúcar. Com o Modernismo a ficção regionalista nordestina atinge o apogeu, com José Américo de Almeida, Raquel de Queirós, José Lins do Rego, Amando Fontes, Graciliano Ramos.*

A temática do regionalismo nordestino, seja da fase realista-naturalista, seja da modernista, gira em torno dos problemas geográficos, sociais, políticos da região, com variação pela análise psicológica. Assim, o fenômeno da seca é tratado com as conseqüências humanas e sociais dele advindas, de Os Retirantes *até* Vidas Secas *de Graciliano Ramos. E, como corolário desse fenômeno, são focalizados os problemas da migração populacional, do banditismo, do fanatismo religioso, da decadência e desmoralização do homem, da prostituição, dos vícios e explorações dos políticos, da evasão dos campos e invasão das cidades, das transformações econômicas, etc.*

O romance Luzia-Homem *(1903) é um dos mais importantes elos da cadeia do regionalismo nordestino. O sertanismo tem nele um pintor de paisagens e um caracterizador de personagens de que a ficção brasileira se deve orgulhar. Sua visão do interior cearense tostado pela seca adquire tons de intensa dramaticidade, com a luta renhida entre o homem e o meio hostil, que o esmaga e degenera. A figura central do romance, Luzia-Homem, é dessas que o leitor jamais esquece, pela força com que é retratada, pela dramaticidade dos lances em que é envolvida, pela beleza e feminilidade, apesar do apelido. É evidente a filiação às técnicas naturalistas na rudeza e brutalidade das cenas, na crueza de episódios, no entrechoque dos instintos, na intensidade das forças desencadeadas. É um romance forte, de conjunto realizado, em que se vê a inferioridade do ser humano em face das potências da natureza agreste e dos instintos selvagens.*

O livro é um espelho do drama do retirante, e, tal como em Os Retirantes, *de José do Patrocínio, o cenário social e político aparece em toda a sua realidade, com os exploradores da miséria popular e os parasitas e aproveitadores da situação. Sente-se como o autor, homem do sertão, possuía um conhecimento seguro dos males que o assolam, e, sobretudo, dos vícios da vida política. O romance, àquela época, já era "brasileiro", completando a busca, iniciada no Romantismo, de um caráter nacional para a literatura realizada no Brasil. Sem pretensão de defender ou protestar, apenas mostrando, dá um quadro do que*

é o Brasil,
nos seus mais variados aspectos.

Em Luzia-Homem, *há qualidades e defeitos, do autor, da escola, da época. Psicologia fraca, freqüentemente demasiada crueza, nem sempre um estilo adequado, às vezes vibrante e excessivamente requintado.*

Mas o romance tem lugar certo na galeria do regionalismo nordestino. E se a técnica difere ou se aperfeiçoa em certas obras posteriores, não será para desprezar-se aquele que foi seguramente, dentro das limitações da escola, um dos mais realizados romances brasileiros●

CRITÉRIO EDITORIAL

O texto de *Luzia-Homem* foi preparado, tendo por base a primeira edição, em vida do Autor, de 1903. O exemplar usado pertence ao acervo da Biblioteca Nacional do Rio de Janeiro (Seção de Obras Raras). Está encadernado sem a folha-de-rosto, e começa na página — 1 — do texto. A ficha do Catálogo da Seção dá as seguintes indicações: "81, 4, 30 OLÍMPIO, Domingos, 1850 — 1906. Luzia Homem. Rio de Janeiro, Typ. da Comp. Lithotyp., 1903, 280 p. 18 cm. s.f. de rosto".

A ortografia foi simplificada, em harmonia com o sistema vigente entre nós.

Seguiu-se a lição conservadora em todas as interlocuções dos personagens regionais, no chamado discurso direto, isto é, em que há a reprodução da fala no ato mesmo da fala dialogal ou monologal.

Com relação às considerações do Autor, ao intervir nas descrições, narrações ou dissertações, em discurso indireto, notar-se-á que sua linguagem apresenta não raro discrepâncias vocabulares e lexicográficas, se cotejadas suas formas com as averbações correntes nos vocabulários e dicionários de nossa língua. Foram conservadas tais como estavam no texto. Eis a seguir o registro dos fatos mais relevantes a esse respeito, não consignados no *Vocabulário da Academia Brasileira de Letras*: *sobpé* (p. 12, 111), *marrafenta* (p. 12), *lâmure* (p. 13, 146), *quietitude* (p. 13), *embastia* (p. 15), *aforciado* (p. 16), *rodomoinhos* (p. 18, 74, 118), *opróbio* (p. 20, 62, 113), *facha* (p. 29, 144), *merejavam* (p. 29), *ourinas* (p. 32), *respônsio* (p. 39, 42, 53, 54, 87, 102), *rouxeadas* (p. 40), *prescrutar* (p. 42, 51, 87, 125), *fragância* (p. 43, 79, 146), *macaxeira* (p. 44), *mocunzá* (p. 44), *manuês* (p. 44), *corrimboque* (p. 46, 130), *esconjúrio* (p. 52), *fugaces* (p. 54, 105), *frustara* (p. 55), *inflingir* (p. 55), *arrouxeados* (p. 65), *mapinguim* (p. 74), *mandapolão* (p. 38, 76), *infringiste* (p. 78), *exprobando* (p. 78, 126), *funestra* (p. 92), *roixeadas* (p. 100), *vultarna* (p. 108), *hircico* (p. 110), *paiós* (p. 115), *molungu* (p. 119), *sarnelha* (p. 137), *enxombradas* (p. 137).

Não se procede à análise critica dessas formas por não ser do objetivo desta edição o comentário lingüístico pertinente — mas algumas são evidentes formas populares; outras, deformações oriundas de flutuações prosódicas; outras, restaurações etimológicas, e outras, por fim, cruzamentos vocabulares.

Os erros tipográficos óbvios foram emendados. As passagens que podem suscitar dúvidas vão relacionadas a seguir: Fez-se uma correção na página 59: "como seu sangue" para "com o seu sangue". Na página 78, a forma "Luzia ergue-se", em face do uso do verbo no pretérito em todo o parágrafo, poderia ser "Luzia ergueu-se". Na página 75, no parágrafo iniciado por "As paredes", há uma sentença que oferece margem a dúvida quanto à exata redação. O verbo "misturavam-se" está em situação ambígua quanto ao resto do trecho. Na página 114, onde está "inteligíveis" será "ininteligíveis"? Na página 119, onde se lê "telhados" será "talhados"?

Quanto à pontuação, seguiu-se o texto de base. Nos casos em que havia aspas de abrir e não arrematadas por aspas de fechar, ou vice-versa, foram cortadas (p. 45, 60, 61, 75, 138). Foi conservada a paragrafação do texto, mesmo nos casos em que podia haver dúvida (p. 21, 28, 39, 42, 91). Com relação às chamadas interrogações diretas, em que segundo o cânone vigente, seria de rigor o emprego do sinal competente — ? —, notar-se-á que o texto por vezes o omite. Essa omissão, entretanto, não é fato que pode ser considerado mero acidente tipográfico, já que em escritos do século passado e início deste, dos românticos aos realistas e mesmo modernos regionalistas, tanto ocorre o sinal de exclamação em lugar de interrogação, como o inverso, como a omissão deste último — indicando tudo a possibilidade de matização intonacional com valor lingüístico. No entanto, nos casos seguintes, foi colocado o sinal porque não parecem oferecer dúvida: "Que foi — perguntou" (p. 32), "Que rumo tomarei, Luzia, senão o seu." (p. 67), "Tiveste notícias de Alexandre — perguntou-lhe" (p. 120), "Sabes que mais, filha." (p. 121).

A pontuação do texto revela não raro discrepâncias ante o cânone vigente. Em todos os casos, preferiu-se seguir a lição conservadora, respeitando a aparente infração ao cânone, pois é de supor que tais infrações, a rigor, têm valor estilístico expressivo.

As abreviaturas do texto foram desdobradas, devendo-se observar que em "os S. Gonçalos" o "S." foi desdobrado em "Sãos" (p. 45).

Foi emendada para *patchouli* a grafia que no texto de base era *patchouly*. (p. 15).

As palavras grifadas já o estavam no texto de base.

O emprego de iniciais maiúsculas segue rigorosamente o texto de base.

A.C.

I

O morro do Curral do Açougue emergia em suave declive da campina ondulada. Escorchado, indigente de arvoredo, o cômoro enegrecido pelo sangue de reses sem conto, deixara de ser o sítio sinistro do matadouro e a pousada predileta de bandos de urubus-tingas e camirangas vorazes.

Bateram-se os vastos currais, de grossos esteios de aroeira, fincados a pique, rijos como barras de ferro, currais seculares, obra ciclópica, da qual restava apenas, como lúgubre vestígio, o moirão ligeiramente inclinado, adelgaçado no centro, polido pelo contínuo atrito das cordas de laçar as vítimas, que a ele eram arrastadas aos empuxões, bufando, resistindo, ou entregando, resignadas e mansas, o pescoço à faca do magarefe. Ali, no sítio de morte, fervilhavam, então, em ruidosa diligência, legiões de operários construindo a penitenciária de Sobral[1].

No cabeço saturado de sangue, nu e árido, destacando-se do perfil verde-escuro da serra Meruoca, e dominando o vale, onde repousava, reluzente ao sol, a formosa cidade intelectual, a casaria branca alinhada em ruas extensas e largas, os telhados vermelhos e as altas torres dos templos, rebrilhando em esplendores abrasados, surgia em linhas severas e fortes, o castelo da prisão, traçado pelo engenho de João Braga, massa ainda informe, áspera e escura, de muralhas sem reboco, enleadas em confusa floresta de andaimes a esgalharem e crescerem, dia a dia, numa exuberância fantástica de vegetação despida de folhas, de flores e frutos. Pela encosta de cortante piçarra, desagregada em finíssimo pó, subia e descia, em fileiras tortuosas, o formigueiro de retirantes, velhos e moços, mulheres e meninos, conduzindo materiais para a obra. Era um incessante vai e vem de figuras pitorescas, esquálidas, pacientes, recordando os heróicos povos cativos, erguendo monumentos imortais ao vencedor.

Acertara a Comissão de Socorros em substituir a esmola depressora pelo salário emulativo, pago em rações de farinha de mandioca, arroz, carne de charque, feijão e bacalhau, verdadeiras gulodices para infelizes criaturas, açoitadas pelo flagelo da seca, a calamidade estupenda e horrível que devastava o sertão combusto. Vinham de longe aqueles magotes heróicos, atravessando montanhas e planícies, por estradas ásperas, quase nus, nutridos de cardos, raízes intoxicantes e palmitos amargos, devoradas as entranhas pela sede, a pele curtida pelo implacável sol incandescente.

---

[1] *Sobral*: a cidade cearense de Sobral fica às margens do rio Acaraú. Sua fundação data do início do séc. XVIII. No fim desse mesmo século, Sobral já se destacava em todo o Ceará por sua privilegiada situação de progresso. (N. E.)

Na construção da cadeia havia trabalho para todos. Os mais fracos, debilitados pela idade ou pelo sofrimento, carregavam areia e água; aqueles que não suportavam mais a fadiga de andar amoleciam cipós para amarradio de andaimes; outros menos escarvados amassavam cal; os moços ainda robustos, homens de rija têmpera, superiores às inclemências, sóbrios e valentes, reluziam de suor britando pedra, guindando material aos pedreiros, ou conduzindo às costas, de longe, das matas do sobpé da serra, grossos madeiros enfeitados de palmas virentes, de ramos de pereiro de um verde fresco e brilhante, em festivo contraste com o sítio ressequido e desolado. E davam conta da tarefa, suave ou rude, uns gemendo, outros cantando álacres, numa expansão de alívio, de esperança renascida, velhas canções, piedosas trovas inolvidáveis, ou contemplando com tristeza nostálgica, o céu impassível, sempre límpido e azul, deslumbrante de luz.

Esse concerto esdrúxulo de vozes humanas em cânticos e queixumes, de rugidos da matéria transformando-se aos dentes dos instrumentos, aos golpes dos martelos, de brados de comando dos mestres e feitores, essa melopéia do trabalho amargurado ou feliz, era, às vezes, interrompido por estrídulos assobios, alarido de gritos, gargalhadas rasgadas e as vaias de meninos que se esganiçavam: era uma velha alquebrada que deixara cair a trouxa de areia; um cabra alto de hirsuta cabeleira marrafenta, lambuzado de cal, que escorregara ao galgar uma desconjuntada e vacilante escada, e lançava olhares ferozes à turba que o chasqueava; era a carreira constante das moças e meninas para as quais o trabalho era um brinquedo; eram gritos de dor de um machucado, rodeado pela multidão curiosa e compassiva, ou os gemidos de algum infeliz, tombando prostrado de fadiga, pedindo pelo amor de Deus, no estertor da hora extrema, não o deixassem morrer sem confissão, sem luz, como um bicho.

Cercava o edifício em construção, um exótico arraial de latadas, de choupanas, de ranchos improvisados, onde trabalhavam carpinteiros falqueando longas vigas de pau-d'arco, frechais de frei-jorge e gonçalo-alves, ou serrando e aplainando cheirosas tábuas de cedro. Marcando a subida do morro, se alinhavam em rua tortuosa, pequenas barracas feitas de costaneiras, cascas e sarrafos, as quais serviam de abrigo às costureiras, fazendo, dos sacos de víveres, roupa para os esmolambados, envoltos em nojentos trapos que lhes mal disfarçavam o pudor e a horrenda magreza esquálida. De outras barracas subia ao ar, em novelos espessos ou tênues espirais azuladas, o fumo de lareiras, onde, sobre toscas trempes de pedra, ferviam, roncando aos borbotões, grandes panelas de ferro, repletas de comida.

Ao cair da tarde, quando cálida neblina irradiava da terra abrasada, esbatia o recorte das montanhas ao longe, e adelgaçava o colorido da paisagem em tons pardacentos e confusos, o sino da Matriz, como um colossal lamento, troava a Ave-Maria[1]. Cessava o

---

[1] *Ave-Maria*: oração tradicional da Igreja Católica, dedicada à Virgem Maria, que se reza à tarde, às 18 horas. Na tradição católica, a hora da Ave-Maria marca o fim das atividades do dia. (N. E.)

rumor e o mestre da obra batia com o pesado martelo o prego, em solene cadência, anunciando o termo do trabalho.

A multidão de operários, depois de silenciosa e contrita prece, se agrupava em torno dos feitores; e, respondido o ponto, desfilava, depositando, em determinado sítio, a ferramenta e vasilhame. Fatigada, suarenta, dispersava-se, dividindo-se em grupos, seguindo várias direções em busca de pousada, ou desdobrando-se na curva dos caminhos, nas forquilhas das encruzilhadas, até se sumir como sombras desgarradas, imersas na caligem da noite iminente.

Começava, então, a vida nos acampamentos, desertos durante o dia. E descantes à viola, ruídos de sambas saracoteados, de vozes lâmures ou irritadas, de gargalhadas incontinentes formavam incoerentes acordes com as rajadas ásperas de viração a silvar nos galhos secos e contorcidos das moitas mortas de jurema e mofumbo, ou nas palmas virentes das carnaubeiras imortais.

No céu límpido, profundo e sereno, em quietitude de lago tranqüilo, sem as manchas de nuvens errantes, tremeluziam em esplêndidas constelações, miríades de estrelas. Na terra escura, um colar de luzes tímidas, como círios melancólicos velando enorme esquife, cercava a cidade adormecida em torpor de monstro saciado. E no alto sinistro do curral do Açougue, erguia-se, silenciosa e solitária, a molhe sombria da penitenciária, como um lúgubre monumento consagrado à maldade humana.

II

O francês Paul — misantropo devoto e excelente fabricante de sinetes que, na despreocupada viagem de aventura pelo mundo, encalhara em Sobral, costumava vaguear pelos ranchos de retirantes, colhendo, com apurada e firme observação, documentos da vida do povo, nos seus aspectos mais exóticos, ou rabiscando notas curiosas, ilustradas com esboços de tipos originais, cenas e paisagens — trabalho paciente e douto, perdido no seu espólio de alfarrábios, de coleções de botânica e geologia, quando morreu, inanido pelos jejuns, como um santo.

Um dia, visitando as obras da cadeia, escreveu ele, com assombro, no seu caderno de notas:

"Passou por mim uma mulher extraordinária, carregando uma parede na cabeça."

Era Luzia, conduzindo para a obra, arrumados sobre uma tábua, cinqüenta tijolos.

Viram-na outros levar, firme, sobre a cabeça, uma enorme jarra d'água, que valia três potes, de peso calculado para a força normal de um homem robusto. De outra feita, removera, e assentara no lugar próprio, a soleira de granito da porta principal da prisão, causando pasmo aos mais valentes operários, que haviam tentado, em vão, a façanha e, com eles, Raulino Uchoa, sertanejo hercúleo e afamado, prodigioso de destreza, que chibanteava em pitorescas narrativas.

Em plena florescência de mocidade e saúde, a extraordinária mulher, que tanto impressionara o francês Paul, encobria os músculos de aço sob as formas esbeltas e graciosas das morenas moças do sertão. Trazia a cabeça sempre velada por um manto de algodãozinho, cujas ourelas prendia aos alvos dentes, como se, por um requinte de casquilhice, cuidasse com meticuloso interesse de preservar o rosto dos raios do sol e da poeira corrosiva, a evolar em nuvens espessas do solo adusto, donde ao tênue borrifo de chuvas fecundantes, surgiam, por encanto, alfombras de relva virente e flores odorosas. Pouco expansiva, sempre em tímido recato, vivia só, afastada dos grupos de consortes de infortúnio, e quase não conversava com as companheiras de trabalho, cumprindo, com inalterável calma, a sua tarefa diária, que excedia à vulgar, para fazer jus a dobrada ração.

— É de uma soberbia desmarcada — diziam as moças da mesma idade, na grande maioria desenvoltas ou deprimidas e infamadas pela miséria.

— A modos que despreza de falar com a gente, como se fosse uma senhora dona — murmuravam os rapazes remordidos pelo despeito da invencível recusa, impassível às suas insinuações galantes.

— Aquilo nem parece mulher fêmea — observava uma velha alcoveta e curandeira de profissão. Reparem que ela tem cabelos nos braços e um buço que parece bigode de homem...

— Qual, tia Catirina! O Lixande que o diga! — maldou uma cabocla roliça e bronzeada, de dentes de piranha, toda adornada de jóias de pechisbeque e fios de miçanga, muito besuntada de óleos cheirosos.

— Não diga isso que é uma blasfêmia — atalhou Teresinha, loura, delgada e grácil, de olhar petulante e irônico, toda ela requebrada em movimentos suaves de gata amorosa.

— Por ela eu puno; meto a mão no fogo...

— Havia de sair torrada. Isso de mulher, hoje em dia, é mesmo uma desgraceira...

— Mas você não pode negar que ela viva no seu canto sossegada sem se importar com a vida dos outros e fazendo pela sua, como uma moira de trabalho. Vocês, suas invejosas, não a poupam; não tendo para dizer dela um tico assim, vivem a maldar, a inventar intrigas e suspeitas. Nem que ela fosse uma despencada do mundo...

— Tu a defendes, porque és pareceira dela...

— Antes fosse!... Outros galos me cantariam. Não andaria aqui, sem eira nem beira, metida nesta canalhada de retirantes... Quem me dera ser como Luzia, moça de respeito e de vergonha...

— Quem perdeu tudo isso para ela achar?... — obtemperou numa rasgada gargalhada de sarcasmo brutal, a roliça cabocla de agudos dentes.

— Qual?... Vão atrás da sonsa!...

— Deixem estar que há de ser como as outras. Em boniteza, verdade, verdade, mete vocês todas num chinelo. Aquilo é mulher para dar e apanhar — disse chasqueando um soldado de linha, destacado no Curral do Açougue para manter a ordem, pois não raro rixavam e se engalfinhavam mulheres, ou se esbordoavam homens por fúteis pretextos: houvera mesmo sérios conflitos e lutas sangrentas, tão abatido estava, naquela pobre gente, o senso moral.

— Vão ver que você, seu Crapiúna, também está fazendo roda a Luzia-Homem?!...

Crapiúna, o tal soldado, era mal afamado entre os homens e muito acatado pelas mulheres, graças à correção do fardamento irrepreensível, os botões doirados, o cinturão e a baioneta polidos e reluzentes: todo ele tresandando ao *patchouli* da pomada, que lhe embastia a marrafa e o bigode, teso e fino como um espeto. Possuía, apesar das duras feições, o encanto militar, a que é tão caroável o animal caprichoso, e fútil, a mulher de todas as categorias e condições sociais, talvez porque, sendo fraca, naturalmente, se deixa atrair pelas manifestações da força.

Contavam dele histórias emotivas, aventuras galantes, feitos de bravura, façanhas na perseguição de criminosos célebres; ele estivera nas escoltas que prenderam o facínora José Gabriel e o cangaceiro Zé Antônio do Fechado, cavaleiro e bravo à antiga, de raça de heróis, os Brilhantes, Ataídes e Vicente Lopes do Caminhadeira, representantes dispersos, atávicos, espécimens ferozes de *banditismo* que foi a glória de Portugal, e lhe conquistou mundos, descobrindo-os, roubando-os com a indômita coragem de piratas, consagrados pela imperecível gratidão da pátria à póstera veneração.

Não faltavam ao soldado feitos que lhe aumentassem o prestígio de pessoa bem conformada, sem vícios que lhe dessem o realce de um afortunado. Dizia-se, à puridade, nos colóquios da protérvia popular, que, antes de ser recrutado por audácias sensuais, e envergar a farda, fora guarda-costas de um famigerado fazendeiro da Barbalha, onde executara proezas cruéis, de pasmar, em verdes anos, pois mal lhe despontava, então, o buço. Tinha o ativo de três mortes e outros crimes menores, valendo-lhe isto por título ao temeroso respeito do povo.

A insinuação de Romana ferira certo o alvo, e assanhara a secreta cupidez de Crapiúna, que não se conformava com os modos retraídos e a impassível frieza da mulher-homem, resistência passiva e calma, ante a qual se amesquinhava a sua fama e sentia arranhado o amor-próprio de vitorioso em fáceis conquistas. Sempre que a encontrava, dirigia-lhe, com saudações reverentes, palavras de ternura e erotismos incontinentes, olhares e gestos de desejos mal sofreados. E, tão freqüentes se tornaram esses meios de obsessão, que um dia a moça os rebateu secamente, com firmeza inelutável:

— Deixe-me sossegada. Não se meta com a minha vida. Eu não sou o que o senhor supõe...

— Deixa-te de luxos, rapariga — respondeu Crapiúna, mostrando-lhe um grosso anel de ouro. — Olha a memória de ouro que tenho para ti... Não te zangues com o teu mulato...

Desde então entrou a acompanhá-la, a persegui-la por toda a parte, nas horas de trabalho na penitenciária, nas caminhadas ao rio e a rondar durante a noite pela vizinhança da casinha velha, lá para as bandas da Lagoa do Junco, onde ela morava com a mãe, velha e enferma, a boa, a santa tia Zefa.

Exasperada por essa obsessão afrontosa, cada vez mais ardente e descomedida, Luzia queixou-se ao administrador que obteve do tenente, comandante do destacamento, a remoção do temerário galante para outros serviços, guarda e faxina da prisão e, nos dias de folga, a polícia da feira.

O tão severo, merecido castigo penetrou fundo no duro coração do soldado, remexendo a vasa de instintos, ali sedimentada em demorado repouso. Mais ainda lhe moeram os melindres, os comentários irreverentes, os aplausos, as insinuações ferinas e o chasco de ser punido por queixa da mulher apetecida, a quem ele, com fingido desdém, chamara uma retirante à-toa, sem eira nem beira, toda arrebitada de luxos e medeixes. E ainda mais o estomagava o ser a opinião, em esmagadora maioria, favorável ao castigo.

Acharam todos fora acertada providência tirar aquela onça do pasto para tranqüilidade e segurança das moças e das mulheres casadas, pois já era demasiada a falta de respeito escandalizadora. Aquele homem de maus bofes, era um perigo. E surdiam histórias de crimes, anedotas grotescas, revelação de casos repugnantes, verdadeiros ou inventados pela fantasia do populacho nos excessos de saborear a vingança, denegrindo-lhe a reputação e deturpando-o para transformá-lo de pelintra quente e apaixonado, em reles monstro horripilante.

Crapiúna sabia dessas más ausências, das calúnias e falsos testemunhos que lhe levantavam, cobardemente, pelas costas; das pragas e esconjuros, irrogados pelas suas vítimas e desafetos. Safados uns, ingratos outros. Corja de mal-agradecidos, que já se não lembravam dos benefícios de ontem. A muitos deles, desses que agora o malsinam por intrigas de mulheres, havia morto a fome. Não se tinha em conta de santo, confessava; fizera certas vadiações de homem solteiro, que não tinha contas que dar; mas ninguém lhe podia lançar em rosto o haver aforciado mulheres honestas. Quanto à remoção, até dava graças a Deus por se ver livre daquela cambada de retirantes nojentos e leprosos, cujo aspecto, em jejum, causava engulhos; seria, entretanto, melhor sair da obra por sua livre vontade e não por queixa... E logo de quem? De Luzia-Homem... Oh? o diabo daquela sonsa era capaz de virar pelo avesso o juízo de uma criatura, e provocar muita desgraça por causa daquele imposão de querer ser melhor que as outras... Tirando-lhe a força bruta, não passava de uma pobre tatu, que só tem por si o dia e a noite.

— Você está... — mas é fisgado pela macho e fêmea — arriscou o camarada Belota que lhe ouvia a confidência — Aquilo tem mandinga... Quem sabe se não te enfeitiçou!... Olha que ela tem uns olhos que furam a gente... E então aquela cabeleira... Acho melhor pedir à Chica Seridó uma oração forte para desmanchar quebrantos e fechar o corpo contra mau olhado.

— Qual, o quê!... — retorquiu Crapiúna, com afetado desdém — Eu até nem gosto dela... Não lhe acho graça... Depois... com semelhante força... nem parece mulher...

— Tira o cavalo da chuva e conta a história direito, Crapiúna. Todas as mulheres são iguais e merecem tudo; a demora é grelar no coração o capricho, principalmente, quando resistem. Fora ela um monstro da natureza; paixão não enxerga nem repara e, quando nos ataca, é como o sarampo: até jasmim de cachorro é remédio. E deixa falar quem quiser, que é soberba, sonsa, mal-ensinada... Ela não é nenhum peixe podre. Não reparaste naqueles quartos redondos, no caculo do queixo, na boca encarnada como um cravo?! E o buço?!... Sou caidinho por um buço... Ela quase que tem passa-piolho, o demônio da cabrocha...

— O que mais me admira é que não se diz dela tanto assim — afirmou Crapiúna pensativo, riscando com a unha do polegar a ponta do indicador.

— É por ser mais velhaca que as outras... Pergunta ao Alexandre...

— Que Alexandre? Aquele alvarinto que servia de apontador na obra; e passou depois para o armazém da Comissão?... Aquilo é defunto em pé. Não é qualidade de homem para um como eu.

— O caso é que ele gosta dela. Estão sempre perto um do outro, ao passo que o Crapiúna velho foi posto fora, como um cachorro tinhoso, e está aqui gemendo no serviço...

E como o soldado, em cujo coração se derramara fel, ficasse a cismar, Belota afastou-se com um gracejo ferino: — Ali é ver com os olhos e comer com a testa ou lamber vidro de veneno por fora, como rato de botica. Toma o meu conselho. Não te metas com a bruxa que cheiras vara!

Crapiúna não o ouviu. Contorcendo-se no martírio de onça acuada, com o coração caldeado no peito, estremecia à suspeita de um rival venturoso na disputa da cobiçada presa.

III

A população da cidade triplicava com a extraordinária afluência de retirantes. Casas de taipa, palhoças, latadas, ranchos e abarracamentos do subúrbio, estavam repletos a transbordarem. Mesmo sob os tamarineiros das praças se aboletavam famílias no extremo passo da miséria — resíduos da torrente humana que dia e noite atravessava a rua da Vitória, onde entroncavam os caminhos e a estrada real, traçada ao lado esquerdo do rio Acaracu[1], até ao mar. Eram pedaços da multidão, varrida dos lares pelo flagelo, encalhando no lento percurso da tétrica viagem através do sertão tostado, como terra de maldição ferida pela ira de Deus; esquálidas criaturas de aspecto horripilante, esqueletos automáticos dentro de fantásticos trajes, rendilhados de trapos sórdidos, de uma sujidade nauseante, empapados de sangue purulento das úlceras, que lhes carcomiam a pele, até descobrirem os ossos, nas articulações deformadas. E o céu límpido, sereno, de um azul doce de

[1] *rio Acaracu*: esse rio passa pela cidade de Sobral. É mais comumente chamado de Acaraú. (N. E.)

líquida safira, sem uma nuvem mensageira de esperança, vasculhado pela viração aquecida, ou intermitentes rodomoinhos a sublevarem bulcões de pó amarelo, envolvendo como um nimbo, a trágica procissão do êxodo.

Luzia viera na enxurrada, marchando, lentamente, a curtas jornadas, e fora forçada a esbarrar na cidade, por já não poder conduzir a mãe doente. Do capitão Francisco Marçal, o homem mais popular da terra, tão procurado padrinho, que contratara com o vigário pagar-lhe uma quantia certa, todos os anos, por espórtulas dos batizados, obtivera, por felicidade, uma casinha velha e desaprumada, onde se aboletou com relativo conforto. A vida lhe correu bem durante seis meses. Havia trabalho e ela ganhava o suficiente para se prover quase com fartura. Mas o coração pressentia, então, com vago terror, o perigo das pretensões de Crapiúna e ela procurava, por todos os meios, evitá-lo. Seu primeiro impulso, depois que lhe ele ousara falar em termos desabridos, foi anoitecer e não amanhecer; emigrar, confundir-se nas levas de famintos em busca das praias ubertosas, com os lagos povoados de curimãs, em cardumes assombrosos, os tabuleiros irrigados por orvalho abundante, cheios de plantações, e confinando, em contraste consolador, com a planície seca e estorricada.

Além se desdobrava o grande, o soberbo mar infindo e glauco, a rugir lamentoso, despejando, envolta em rendas de espuma, a generosa esmola de peixes, moluscos e crustáceos saborosos. Com a proteção de Maria Santíssima venceria a travessia. Vinte léguas galgam-se depressa. Talvez tombasse, como os míseros, cujas ossadas alvejantes, descarnadas pelos urubus e carcarás, iam marcando o caminho das vítimas da calamidade.

E a mãe, a querida mãezinha, que era o seu tudo neste mundo? Não era possível abandoná-la a cuidados estranhos, doente, quase entrevada, como estava, a deitar a alma pela boca, quando a acometia o implacável puxado[1]. Os brincos e o cordão de ouro, que lhe dera a madrinha, vendidos aos mascates da miséria, não dariam com que pagar o transporte da pobre velha em carroças puxadas por homens atrelados dois a dois, como animais de tiro. Era esse, naquela quadra de infortúnio, o veículo das famílias abastadas, que já não possuíam cavalos e muares de carga e montaria.

Nessa triste conjunção, venceu o dever. Luzia ficou resoluta a enfrentar, de ânimo sereno, o destino, e aparelhada para suportar os mais dolorosos lances da adversidade. Continuaria a trabalhar sem desfalecimento, retraindo-se quanto pudesse para evitar encontros com o importuno soldado. Por fortuna sua, Alexandre, o amigo dedicado e afetuoso, que se lhe deparara entre a multidão de desconhecidos e indiferentes, moço de maneiras brandas, muito paciente, muito carinhoso com a tia Zefa, passando serões, noites em claro junto dela e da filha, num recato de adoração muda e casta, lhe poupava o vexame de ir à cidade: era ele que ia ao mercado comprar a quarta de carne fresca para o caldo da enferma, os re-

---

[1] *puxado*: nome popular dado à asma ou qualquer outra doença que cause dificuldades de respirar. (N. E.)

médios e consultar o médico, mister em que era auxiliado pelo Raulino, outro amigo da família.

Uma tarde, ao voltarem juntos da obra, Alexandre, impressionado pelo tom de penosa preocupação bem acentuado no semblante de Luzia, disse-lhe a medo:

— Se a senhora não se zangasse, eu acabava com essa reinação, dando um ensino ao Crapiúna...

— Não quero — retorquiu Luzia vivamente — Não tenho medo daquele miserável, mas não desejo dar nas vistas dessa gente desabusada. Depois que hão de dizer?... Você não é nada meu para tomar dores por mim... Aquilo não tem entranhas de cristão: é um malfazejo...

Alexandre sentiu-se humilhado, supondo que a moça desconfiasse do seu valor, e, continuou com brandura tímida:

— Não seria a primeira vez... Não sou nada seu, mas sou um homem capaz de jogar a vida em defesa de uma mulher de bem. Pensei que não se agravaria comigo...

— Agravar-me?!... Não pensei nisso. Não quero que se sacrifique por mim, que já muito lhe devo — favores que só Deus pagará. Imagine a briga de dois homens, pancadas, ferimentos, um crime e o meu nome detestado passando de boca em boca, Luzia-Homem causadora de tudo... Não quero, não. Faça de conta que aquele mal-encarado homem não existe... Não tenha receio, Alexandre, eu sei defender-me. De mais a mais... tudo passa...

Luzia confiava na ausência, mãe do esquecimento, para conjurar o perigo; entretanto, um mês depois, recebeu uma carta de Crapiúna, transbordante de frases de amor, em prosa e verso — protestos lânguidos e trovas populares, escritas em péssima letra sobre papel de cercadura rendilhada, tendo, no ângulo superior, à esquerda, um coração em relevo, crivado de setas, desfechadas por travessos Cupidinhos alados. E leu-a com assombro e cólera, como se as letras disformes, enfileiradas em tortuosas linhas, e o pensamento sensual nelas expressado, lhe vergastassem cruelmente o rosto.

— Este homem será o causador da minha desgraça — murmurou ela com um soluço de pranto sufocado.

— Que tens, filha? — inquiriu a mãe... — Estás tão alterada?... Que houve?

— Nada, mãezinha — respondeu Luzia, disfarçando a emoção que a conturbava — É este labutar constante, sem esperança de melhoria, e a sua doença que me apertam o coração...

— Tu me encobres alguma coisa. Estás afrontada?

O peito de Luzia arfava descompassado, e seus rijos seios espetavam, em sacudidos golpes trêmulos, a delgada camisa.

— Tenho ouvido dizer — continuou ela — que banhos salgados são bons para reumatismo. Se pudesse levá-la para as praias... Bastava chegarmos com vida à Barra. Daí para os Patos é um pulo. Ficaríamos acostados à gente do meu padrinho José Frederico, que é rico e bom para os pobres.

— Tenho medo... Nunca vi o mar. Dizem que é bonito, perigoso e traiçoeiro. Inda que fosse essa viagem a salvação. Como queres que me mexa? Não vês? Estou impossibilitada de andar neste quarto, quanto mais para fazer a travessia deste sertão inclemente!... Ai!... Deus não quer, filha. São os meus pecados, que me encaranguejam as pernas. Já fiz uma promessa a São Francisco das Chagas de Canindé[1] para que ele me pusesse em estado de caminhar com os meus pés; e... nada... Cada vez mais me incham as juntas e se me entortam os ossos...

Subjugada pelo impossível evidente, inelutável, a moça estraçalhou com as unhas pontudas a carta fatal. A mãe tinha razão. Deus não queria. Era forçoso ficar, amarrada àquele poste de amor e sacrifício, onde morria, em lento martírio, a mãe adorada, arrostar o perigo pressentido, o acinte da paixão do lúbrico soldado. Era forçoso ficar exposta ao insulto daquela atrevida e grosseira insistência repugnante; e sucumbir, talvez, assoberbada de vilipêndio e ultrajada como as outras desditosas, arrastadas pela miséria à crápula abjeta.

Sob os músculos poderosos de Luzia-Homem estava a mulher tímida e frágil, afogada no sofrimento que não transbordava em pranto, e só irradiava, em chispas fulvas, nos grandes olhos de luminosa treva.

IV

QUANDO lhe serenou o ânimo atribulado, teve ímpetos de repelir o insulto com represálias violentas, castigando, ela mesma, o insolente, custasse-lhe isto, embora, muita vergonha, muito opróbio, ou procurar auxílio na dedicação cega de Alexandre, com a qual sabia poder contar para a vida e para a morte; mas, demoveram-na desse passo, ponderações das conseqüências de escândalo, um crime possível e a punição. Não queria arriscar o moço, cuja alma impetuosa e forte, parecia adormecida sob aparências de mansidão e doçura, como a lâmina de uma faca acerada, escondida em bainha de veludo. Raulino era demasiado ardente; tinha o coração na goela e seria capaz de estripulias graves. Demais, por lhe haver prestado valioso serviço, pareceria exigir a paga com o apelo ao seu concurso. Além desses, não tinha um coração amigo onde fosse haurir conselho e procurar o inefável alívio da confidência, válvula benéfica para o escoamento das mágoas, pesares e desgostos. As moças da mesma idade, ainda não contaminadas pelo vírus pecaminoso, que empestava o ambiente, evitavam-na com maneiras tímidas, discreto acanhamento, como não fossem iguais na condição e infortúnio. Muitas se afastavam dela, da orgulhosa e seca Luzia-Homem, com secreto terror, e lhe faziam a furto figas e cruzes. Mulher que tinha buço de rapaz, pernas e braços forrados de pelúcia crespa e entonos de força, com ares varonis, uma virago, avessa

---

[1] *São Francisco das Chagas de Canindé*: o culto a São Francisco das Chagas, na cidade cearense de Canindé, data da última década do séc. XVIII. A fama dos milagres ocorridos nessa igreja é da mesma época. Conta-se que, na construção da primeira capela, um operário caiu da torre. Gritando por São Francisco, conseguiu prender-se a uma trava, salvando-se. Este teria sido o primeiro milagre de São Francisco das Chagas, em Canindé. (N. E.)

a homens, devera ser um desses erros da natureza, marcados com o estigma dos desvios monstruosos do ventre maldito que os concebera. Desgraça que lhe acontecesse não seria lamentada; ninguém se apiedaria dela, que mais se diria um réprobo, abandonado, separado pela cerca de espinhos da ironia malquerente, em redor da qual girava o povilhéu feroz a lapidá-la com chacotas, dictérios e remoques. Tal se lhe figurava, através dos exageros pessimistas, a sua triste situação.

Uma vez, estando ela a banhar-se, depois de cheio o grande pote, na cacimba aberta no leito de areia do rio, em sítio distante dos caminhos e aguadas mais freqüentadas, surpreendeu-a Teresinha, a rapariga branca e alourada, bem-parecida de cara e bem-feita de corpo, que era flexível como um junco, de sóbrias carnações e contornos graciosos.

Estava ainda longe o dia. As barras apenas despontavam no levante em pálido clarão e alguns farrapos de nuvens rubescentes. Exposta à bafagem da madrugada, Luzia de pé, em plena nudez, entornava sobre a cabeça cuias d'água que lhe escorria pelo corpo reluzente, um primor de linhas vigorosas, como pintava a superstição do povo o das mães-d'água lendárias[1], estremecendo em arrepios à líquida carícia, e abrigada no manto da espessa cabeleira anelada que lhe tocava os finos tornozelos. Ao perceber desenhar-se no lusco-fusco da nebrina matinal, já perto, o vulto da moça a contemplá-la, soltou um grito de espanto e agachou-se, cruzando os braços sobre os seios.

— Não tenha receio, sa Luzia. Sou eu — disse Teresinha, atirando o pote sobre a areia — Vim também lavar-me com a fresca. É tão bom, neste tempo de calor, poder molhar o corpo...

— Dê-me a camisa por favor — suplicou Luzia, transida de pejo, apontando para a roupa amontoada.

Teresinha não despregava dela os olhos, em êxtase de admirativa curiosidade. Deu-lhe a roupa, e, despindo-se sem o menor resguardo, banhou-se rapidamente.

— Você tem vergonha de outra mulher, Luzia? Eu, não. Não sou torta, nem aleijada, graças a Deus...

Vestida a camisa que se lhe amoldou ao corpo molhado, como leve túnica de estátua, Luzia não ousava erguer os olhos, tão confusa e perturbada estava.

— Agora sou sua defensora — continuou a outra torcendo os cabelos ensopados — Hei de punir por você em toda parte, porque vi com os meus olhos que é uma mulher como eu, e que mulherão!... Sabe? Outro dia estava numa roda conversando sobre moças que não há nenhuma honrada para aquelas línguas danadas. Falou-se de você e o Crapiúna, que estava ouvindo, disse que, por bem ou por mal, lhe havia de tirar a teima.

— O Crapiúna? — exclamou Luzia com irrepressível terror.

— Sim. Aquele infame soldado, muito metido e apresentado,

---

[1] *mães-d'água lendárias*: as mães-d'água são entidades lendárias que habitam o fundo dos rios e lagoas. Segundo a crença popular, a mãe-d'água aparece à noite e fica cantando e se penteando à flor-d'água. (N. E.)

que anda perseguindo a gente. É um gabola para quem não há mulher séria. Não se fie daquele malvado. Conheço muitas que ele desgraçou com partes de promessa de casamento; e não teve coragem de dar-lhe um pedaço de pano para fazer uma saia. A mim andou ele a afrontar com o anelão de ouro que traz no dedo, como isca para as tolas. Eu não sou mais moça, confesso a minha desgraça, mas não me sujo com semelhante desalmado.

Luzia ouvia calada, com os olhos fitos na cacimba, onde a água marejava lentamente.

— Dizem que é criminoso. Muito provocante e atrevido, outro dia quase teve uma pega com o Alexandre por causa de umas liberdades, que quis tomar com a Quinotinha. Não foi por ciúme que o outro avançou em defesa da menina, uma criança inocente, coitadinha, que ainda não desceu o embainhado da saia. Só visto se acredita. Era preciso ter cabelos no coração para fazer o que ele fez e ter sangue de barata para suportar tamanho desaforo.

— Então o Alexandre?!...

— Avançou para ele que nem uma fera e o cabra ficou branco como um defunto. Todo o homem de más entranhas, à traição, é cascavel, mas, peito a peito, é medroso. Alexandre já andava com ele de olho por sua causa...

— Por mim?!...

— Ora, eu sei que ele gosta de você, mas não tem coragem de se declarar. Olhe, minha camarada, procurando com uma vela acesa, não encontrará homem de bem igual a ele. É pessoa de consideração e procedente de boa família. Dizem que deixou moradas de casa e uma fazenda nos Crateús; mas essa desgraça da seca acabou com tudo e o obrigou a andar trabalhando para arranjar um bocado para comer... Ah! também eu já tive muito de meu e agora vivo nesta miséria. Quando saí de casa com o Cazuza, meus pais, graças a Deus, ainda possuíam muita farinha, muito milho e muito arroz, na despensa, não falando nas matalotagens[1]. Depois, andamos vagando pelo sertão como casados, até que o perdi. Morreu de bexigas, o pobre... Eu saíra de casa com a roupa do corpo. Vi-me sozinha no mundo, sem ter com que comprar uma tigela de feijão... Fiz então, o que me mandou a minha ruim cabeça... E por aqui ando como um molambo, sem uma criatura que se doa de mim... Ainda hei de contar-lhe a minha vida.

Teresinha limpou os olhos com as costas da mão, e suspirou. Sentada, em desalinho, traçava na areia úmida, figuras cabalísticas, entremeadas de letras que logo apagava, como se simbolizassem importunas e saudosas recordações da felicidade, para sempre perdida.

A cacimba transbordava. Os potes estavam cheios. Luzia torcia em rodilha um trapo de antiga toalha, para equilibrar o seu sobre a cabeça, esperando que Teresinha lhe restituísse a cuia com que se banhava.

Nisto ouviram vozes e tropel humanos. Teresinha vestiu-se às pressas. Era o triste cortejo da faxina diária da cadeia. Dous presos, ligados pelo pescoço por comprida corrente de ferro, carregavam

---

[1] *matalotagens*: provisões de alimentos, comida. (N. E.)

pendurada de um caibro, polido pelo uso, a grande cuba contendo os dejetos da véspera, para despejá-los longe da cidade, à margem do rio, nas vazantes onde, em tempos prósperos, medraram melões e melancias. Acompanhava-os uma escolta de soldados, da qual se destacou Crapiúna, que se dirigiu às duas moças com maneiras de afetada severidade.

— Então, suas vadias! Estão a sujar a água que a gente bebe?... Corja de porcas... estas retirantes... Ai, Jesus!... Não tinha reparado na sa dona Luzia, milagrosa santa dos meus olhos pecadores...

— Deixe a gente sossegada, seu Crapiúna — atalhou Teresinha. — Siga o seu caminho e não se importe com o que não é da sua conta...

— Não estou falando contigo, tábua de bater roupa. O meu negócio é com esta feiticeira soberba que furtou meu coração...

— Você diz isto — replicou Teresinha — é por estarmos aqui sozinhas. Soldado relaxado...

— Olha — retrucou Crapiúna enfurecido — Toma a bênção ao furriel que está ali na escolta. Se eu não estivesse de serviço te ensinava quem é relaxado, cachorra...

— Cachorra é tua mãe, cabra safado...

A esta injúria Crapiúna cerrou os punhos, num gesto bruto de ameaça; mas, à chamada do furriel, teve de partir, dirigindo à moça uma praga obscena.

— Deixa estar que me pagarás. Esta não caiu no chão.

Voltando depois para Luzia, trêmula e confusa, inanida de surpresa e vergonha, acrescentou, requebrando os olhos congestionados:

— Adeus, meu bem... Tenha pena de seu mulato... Me responda; faça uma fezinha para me consolar o peito, sua ingrata... Ai, ai, coração!...

Luzia continuava a preparar, automaticamente, a rodilha, não ousando erguer os olhos para o sinistro homem.

— O demônio te carregue, peste — resmungou Teresinha, quando Crapiúna se reuniu à escolta — Tu só prestas para carregar porcaria de preso. Por estas e outras é que eu não ando de mãos abanando. Era encrespar-se para mim aquele excomungado, metia-lhe no bucho este canivete até o cabo...

— E tinha coragem? — perguntou Luzia encarando na franzina moça e na fina lâmina da arma, que ela trazia oculta no cós da saia.

— Ora, ora, ora!... Fisgava-o sem dó nem compaixão. Não me importava de ser presa, nem tenho a vida para negócio... Desgraça por desgraça... Ah! minha camarada, já sofri tudo de ruim deste mundo; passei por vexames e desgostos... Só lhe contando isso por miúdo... Deixe estar que os desaforos daquele cabra miserável não caíram no chão. Paga-me mais cedo ou mais tarde, tão certo como chamar-me Teresa de Jesus...

— Ferir, matar um homem!... Seria horrível.

— Qual horrível, qual nada. Já vi gente morrer à minha vista. Não foi uma nem duas criaturas. Tivera eu a sua força, não precisaria de arma: quebrava-lhe a cara safada que ficaria a panos de vinagre. Quando ele me dissesse alguma liberdade, dava-lhe tamanho tabefe...

— Vamos que são quase horas de ir para a obra... Ah! nem me lembrava que hoje é dia santo... Esta minha cabeça...

— Olhe para mim, Luzia; mire-se no meu espelho... Eu já lhe quero bem, como parente minha, por isso falo-lhe assim. Veja como estou pagando os meus pecados; veja a minha desgraça e a quanto estou sujeita...

— É pena, você, uma moça branca, andar assim na vida...

O céu pálido clareava, e a aurora, que irrompia, punha nas coisas o rúbido fulgor das suas pompas. Ranchos de mulheres e de meninos macilentos se endireitavam à cacimba; e, falando e rindo, os pequenos, quase nus, sacudidos por quintos de tosse rouca, levavam grandes cabaças para colherem o precioso líquido, ainda nas entranhas da terra ressequida e flagelada.

V

MAL restabelecida da comoção do encontro com Crapiúna, Luzia sentia-se humilhada pelos grosseiros galanteios que ele lhe dirigira sem o menor rebuço, com desabrida petulância e desenvoltura sensual, como se ela fora uma dessas desgraçadas, cujo acesso não é já resguardado pelo prestígio da virtude. Pouco atenciosa à incessante tagarelice de Teresinha, e remordida pela afronta, meditava na turra de Alexandre com o soldado, persuadida de que a defesa de Quinotinha fora o pretexto para a explosão do ódio latente. Seu coração estremecia, vacilante, à idéia de um conflito entre os dois homens, e o júbilo de sentir-se amparada por dedicação superior a todos os sacrifícios.

E flutuava nesse consolador eflúvio de reconhecimento, arrebatada à região dos sonhos, das coisas ideais, sobranceiras ao pélago da tristeza e sofrimentos humanos.

Quando chegou a casa, e depôs o grande pote sobre as três garras de uma forquilha de sabiá, fincada no solo, a mãe, sentada à rede armada a um canto do quarto, gemia, à surdina, em atitude de vítima resignada ao martírio da implacável moléstia.

— Sua bênção, mãezinha?

— Bênção de Deus, filha. Vens tão cansada. Teimas em carregar água nessa jarra... Estás a botar a alma pela boca...

— Não é o peso do pote... São pesares...

— Hoje é dia santo. Achava bom ires à missa...

— Já fiz as minhas orações, mãezinha. O meu lugar — Deus me perdoe — é aqui a seu lado, tratando-a, a ver se podemos deixar logo esta terra.

— O quê!!... A terra não tem culpa do que padecemos. Admira de pensares ainda em semelhante coisa. Desengana-te, filhinha da minha alma. Havemos de ficar e talvez morrermos aqui, quando Deus for servido...

— Também, mãezinha, não faz caso dos remédios, que têm custado um dinheirão. Se tomasse de verdade os da receita do doutor Helvécio... Olhe ele quase sarou a mãe da Gabrina. Muito mais doente e com moléstia ruim, teria ficado boa, se não se metesse com meizinhas e feitiçarias ensinadas. Pelo menos conseguiu viver muito...

— Porque a hora não era chegada.

— Só queria que melhorasse. Era capaz de carregá-la nas costas, como criança de peito, até à Barra. Tenho visto mulheres, mais franzinas que eu, conduzindo ao colo filhos crescidos, quais rapazes, doentes, ou meio mortos. Tenho fé em Deus que me dobraria as forças para fazermos, em paz e salvamento, a viagem. Depois Alexandre havia de ir conosco e nos ajudaria, ao menos, carregando os nossos teréns... Pensar que em cinco dias poderíamos estar na praia, livres deste inferno...

Enquanto tentava demover a mãe a empreender a viagem, a moça torcia as madeixas dos fartos cabelos negros, embebidos d'água, até secarem à pressão de suas mãos, mãos delicadas de mestiça, pequeninas e elegantes. Enrolado no alto da cabeça o cabelo, que ela tratava carinhosamente, passou aos cuidados domésticos matinais: atiçar o fogo, preparar o café e uma sopa com grandes bolachas duras, quebradas em pedaços miúdos.

Nisto ouviu um forte silvo de fadiga. Era Alexandre que chegava, trazendo provisões em um uru, funda bolsa de malha tecida com palhas de carnaúba.

— Bom dia, sa Luzia. Como passou tia Zefinha? — disse em tom prazenteiro.

— Deus te abençoe, meu filho! — gemeu a velha com esforço.

— Passei por uma madorra; mas, à primeira cantada dos galos, despertei e não houve meio de tornar a pegar no sono.

— Que há de novo? — inquiriu Luzia.

— Ouvi estarem falando, na casa da Comissão, que o doutor José Júlio deu ordem para facilitar a saída do povo. Quem quiser embarcar deve procurar a Barra ou o Camocim[1], onde há vapores para conduzir a gente. Quem quiser ficar tem trabalho na estrada de ferro e nos açudes. Mas, assim mesmo, não se pode dar vencimento ao potici de povo, que vem derramado por esse sertão a fora. Disse-me o capitão Marçal que vão principiar as obras do cemitério novo e da estrada para a Meruoca. Já estão engenheiros medindo a ladeira da Mata-Fresca. Era o caso de irmos nós trabalhar na fresca da serra, onde ainda há olhos-d'água vivos. Pelo meu gosto já não estava mais aqui...

— Quem impede? — perguntou Luzia, ocupada em dar a sopa à mãe.

— Ninguém — respondeu Alexandre surpreendido pela inesperada pergunta, feita em tom de indiferença. Ninguém, nada me impede... Mas a gente nem sempre faz o que quer. Muita vez a cabeça vira para um lado e o coração para outro. Quando morreu minha mãe e vi-me só no mundo, estive em termos de assentar praça, porque quando um homem é soldado vira outro, fecha a alma e não se pertence mais. Estava maginando nisso, em me afastar

---

[1] *Camocim*: essa cidade cearense destacou-se na região por ter um porto bastante freqüentado e pelos sucessivos movimentos para construção de sua estrada de ferro. O primeiro trecho dessa estrada, entre Camocim e Sobral, ia só até Granja e foi inaugurado a 15/01/1881. (N. E.)

da terra da sepultura, onde descansava a minha defunta velhinha, quando topei com você, sa Luzia, servindo no trabalho da cadeia. Por sinal que, nessa ocasião, lembra-se? a maltratavam. Era uma canzoada de mulheres e meninos, gritando: Olha a Luzia-Homem, a macho e fêmea! O povo todo corria de morro baixo e eu também fui ver o que era. Você vinha subindo, trazendo nos braços Raulino Uchoa, quase morto, ensangüentado e coberto de poeira. Contou-me, então, o Antonio Sieba, pai daquela moça bonita, que canta como um canário, o que se havia passado. O Raulino apostara derribar, a toda a carreira, um boi pelo rabo. Na verdade o homem corria como um veado e, era pegar na saia da rês e virá-la, na poeira, de pernas para o ar; mas, naquele dia, foi caipora; falseou-lhe o pé; o boi voltou-se como um gato e mataria o pobre diabo se, dentre o povo, que disparava espantado, não surgisse uma moça afoita e destemida que agarrou o bicho pelas galhadas e o sujicou que nem um cabrito.

— Não valia a pena lembrar isso.

— O capitão João Braga, aquele coração de oiro, mandou recolher o ferido à casa da administração; e, voltando-se para mim, disse-me: Seu Alexandre aliste esta moça para trabalhar e dê-lhe cinco mil réis como molhadura pelo ato de coragem. Você não quis receber o dinheiro. Ficou até meia estomagada...

— Por força... Eu não devia receber pagamento pelo que fiz por caridade.

— Eu tomei por soberba. Cem anos que viva, terei sempre diante dos olhos e do pensamento, a sua figura, de cabelos soltos, rompendo a multidão, com o Raulino nos braços, como se fora uma criança. Lembrava-me um registo do Anjo da Guarda, levando a alma de um inocente para o céu.

Luzia ouvia-o complacente e admirada, porque Alexandre, de ordinário tão retraído e acanhado, estava, nesse dia, expansivo e loquaz.

— Desde, então — continuou ele — não pensei mais em assentar praça, nem abandonar esta terra. Quando sube que tinha mãe e conheci a tia Zefinha, meu coração se abriu consolado, como se houvesse ressuscitado a minha defunta mãe, que Deus haja em glória.

— Você hoje — observou a velha, amparando da luz os embaciados olhos, com as mãos, trêmulas e mirradas — trouxe o uru cheio!...

— O pobre tem seu dia...

E afastou-se para entregar as compras a Luzia, esvaziando o uru que deixara sobre o jirau do alpendre.

— Aqui tem uma libra de carne fresca e um corredor, uma quarta de toicinho, afora a ração do governo. A farinha é meia grossa, mas tem muita goma.

— Ninguém dirá, com semelhante fartura, — gracejou Luzia — que somos retirantes.

— Agora — disse-lhe Alexandre, baixando a voz, tímido e comovido — tenho uma coisa para você; um mimo que me trouxe um camarada meu da Meruoca.

E tirou do bolso interior da jaqueta de brim pardo uma laranja, onde estava plantado um cacho de cravos sanguíneos e cheirosos.

Aqueceu-se o rosto moreno de Luzia, como inundado de um fluxo de sangue abrasado. Seus olhos negros brilharam em fugaz eflúvio de prazer fitando-se no fruto e nas rubras flores sensuais, preciosas jóias da natureza avara naquela quadra de desolação. Ela as tomou a duas mãos, meigamente; hauriu com voluptuoso anseio o perfume dos cravos; e, mal articulando as palavras, dirigiu-se à mãe:

— Aqui tem, mãezinha, um presente de Alexandre. Tome a laranja; eu fico com os cravos. Que bonitos!...

E, com gestos de casquilhice infantil, cravou-os nas ondas do cabelo. Depois, voltando-se para Alexandre, que não ousava contemplá-la, lhe disse à puridade:

— Muito agradecida. Mas... estou zangada com você...

— Comigo!?...

— Sim. Teresinha contou-me a sua briga com Crapiúna.

— Não houve nada. Juro-lhe à fé de Deus! Estávamos na casa da Comissão: eu no meu lugar fazendo a relação da gente que era demais; ele, numa reinação, intimando com as mulheres. Chegou a Quinotinha em procura da ração do pai, que desmentira um pé[1]; e o desaforado entrou a bulir com ela até fazê-la chorar. Aquilo foi me inchando no coração; perdi a paciência, e não me pude conter. Meti os pés; cresci pra cima do cabra, e disse-lhe por aqui assim: "Se o senhor não respeita a farda para provocar uma menina inocente, há de respeitar um homem!..." Ele estremeceu; quis se endireitar pra mim, mas eu não o deixei esfriar, e acrescentei: "Uma pouca vergonha que a gente não se atreve... Tamanho homem e, de mais a mais, soldado, andar aqui todos os dias, que Deus dá, com desaforos, até com meninas donzelas! Fique sabendo que não me mete medo; não me vou queixar ao sargento Carneviva, nem ao Comandante!..." O mulherio abriu em roda; e o Crapiúna, vendo que eu estava decidido para o que desse e viesse, murchou; ficou fulo de raiva e foi saindo, lá ele, por estas palavras: "Está bom! Não quero baticum de boca comigo..." E o povaréu caiu em cima dele com dictérios que faziam uma zoada doida: — Olha o valentão!... Meteu o rabo entre as pernas!... Cabra frouxo!... Vi que ele ficou danado, mas, nem como coisa, continuei sossegado o meu serviço. Quando o capitão José Silvestre soube do caso, disse-me que eu tinha feito muito bem.

— Que tinha você de comprar briga...

— A gente não faz essas coisas por querer. Quando dá fé está feito... Tal qual você, quando tirou o Raulino debaixo do boi... O coração não se governa, nem pede licença para bater...

— Mas você já estava de ponta com ele...

— Andava, falo a minha verdade. E não era para menos ver aquele safado, com partes de ser cangaceiro e criminoso, andar intimando com Deus e o mundo. Todo o gabola é mofino...

---

[1] *desmentira um pé*: a expressão popular significa que o pé ficara dormente, insensível devido a algum ferimento ou torção. (N. E.)

— Faça-me um favor...

— Que não farei eu por você, Luzia?...

— Não se meta mais com a vida do Crapiúna...

— Está dito!... Por essas e outras é que eu desejava trabalhar fora daqui...

— Ninguém está livre de uma traição...

— Ah! Bem se vê que ele tem cara de cascavel de tocaia...

— Evite; evite aquele homem, Alexandre... Eu lhe peço por alma de sua mãe...

— Juro!... — afirmou o moço, solene, erguendo-se e estendendo a destra, com um gesto resoluto e sincero.

— Confiem em Deus, minha gente — observou a velha, que do quarto os ouvia.

— Não há mal que sempre dure. Ele é pai de misericórdia. Há de ter pena de nós e desta terra...

— Se nós dois — disse Luzia, após alguns momentos de meditação — botássemos mãezinha numa rede e a carregássemos até a Barra do Acaracu?

— E tu a teimares, filha...

— Eu era muito homem para fazer isso — respondeu Alexandre — mas vinte léguas, léguas de beiço, muito puxadas, por uma estrada de águas difíceis e com esta soalheira!?...

Luzia não replicou.

— Mais fácil seria — continuou ele, irmos trabalhar na obra da ladeira. Já estou com uma casinha de olho: a que fica quase defronte da Cova da Onça. Daqui até lá levamos a tia Zefinha de um só fôlego...

— E ficaremos sozinhas naquelas brenhas? — ponderou Luzia.

— Se não levassem a mal eu ficaria morando com vocês... Sempre é bom ter homem em casa...

— E as más línguas?... Acha pouco o que já rosnam de nós?...

— Então não sei como há de ser... Só se...

Alexandre estacou enleado, não ousando externar a idéia que lhe ocorrera...

Recobrado o ânimo, titubeou, a meia voz, trêmulo quase comovido:

— Só se... nós... nos casássemos...

Luzia surpreendida pela proposta. estremeceu, corando.

No mesmo instante, passava pelo terreiro, rente à casa, um magote de mulheres, com trajes domingueiros, grazinando em desbragada conversa.

— Que lhes dizia eu?... Vote!... Já estão bem principiados no namoro! — exclamou uma delas indicando, com um gesto do mento, Luzia e Alexandre, transidos de pejo, como delinqüentes apanhados em flagrante crime de amor.

O grupo desapareceu correndo e tagarelando, aos empurrões e palmadas, com maneiras desenvoltas. Dominava o murmúrio de risos e chacotas grosseiras, a gargalhada estridente e sarcástica de Romana, a lúbrica, a roliça e quente cabocla de dentes pontiagudos.

VI

SETEMBRO de 1878[1] ia em meados, e não apareciam no céu límpido, de azul polido e luminoso, indícios de auspiciosa mudança de tempo. Não se encastelavam no horizonte, os colossais flocos a estufarem como iriada espuma; nem, pela madrugada, cirros, penachos inflamados, ou, em pleno dia, nuvens pardacentas, esmagadas em torrões. À noite, constelações de rutilante esplendor tauxiavam o firmamento, e a lua percorria, melancólica, a silenciosa senda.

Como que se percebia no abismo do espaço infindo, a eterna gestação do cosmos, operoso e fecundo, em flagrante criação de mundos novos. E, na gloriosa harmonia dos astros, na expansão soberba da vida universal, a terra cearense era a nota de contraste, um lamento de desespero, de esgotamento das derradeiras energias, porque o sol sedento lhe sorvera, em haustos de fogo, toda a seiva.

Olhares ansiosos procuravam, em vão, o fuzilar de relâmpagos longínquos a pestanejarem no rumo do Piauí, desvelando o perfil negro da Ibiapaba. Nada; nem o mais ligeiro prenúncio das chuvas de caju.

O sertão ressequido estava quase deserto: campos sem gados, povoações abandonadas. E a constante, a implacável ventania, varrendo o céu e a terra, entrava, silvando e rugindo, as casas vazias, como fera raivosa, faminta, buscando e rebuscando a presa, e fazendo, com pavoroso ruído, baterem as portas de encontro aos portais, num lamentoso tom de abandono.

As pastagens de reserva, nos pés de serras, protegidas por espessa facha de catingas impenetráveis, onde se criavam famosos barbatões bravios, haviam sido devoradas ou estruídas e pesteadas pela acumulação de rebanhos em retiradas numerosas. E, à grande distância, sentia-se o fedor dos campos inficionados por milhares de corpos de reses em decomposição.

Não havia mais esperança. Os horóscopos populares aceitos pela crendice, como infalíveis: a experiência de Santa Luzia, as indicações do Lunário Perpétuo[2] e a tradição conservada pelos velhos mais atilados, eram negativas, e afirmavam uma seca pior que a de 1825, de sinistra impressão na memória dos sertanejos, pois olhos-d'água, mananciais que nunca haviam estancado, já não merejavam.

Os socorros, distribuídos pelo Governo, não podiam chegar aos centros afastados, por falta de condução, ou eram os comboios de víveres assaltados por bandos de famintos, malfeitores e bandidos,

---

[1] *Setembro de 1878*: o autor situa sua narrativa no Ceará, fins de 1878. Esse foi um período de grande seca no Ceará. Começou em 1877 e foi até 1880. Por essa época, só para a Amazônia, cerca de 500 000 pessoas migraram. (N. E.)

[2] *experiência de Santa Luzia... Lunário Perpétuo*: o Lunário Perpétuo era um calendário que também indicava as variações meteorológicas e as fases da Lua. Segundo a tradição, se chover no dia de Santa Luzia, choverá também no Natal. Se a estiagem chegar até o dia dessa santa, a situação torna-se desesperadora. (N. E.)

organizados em legiões de famosos cangaceiros.

Em tão aflitiva conjunção, era natural que os retirantes, por instinto de conservação, procurassem o litoral, e abandonassem o sertão querido, onde nada mais tinham que perder; onde já não podiam ganhar a vida, porque à miséria precedera o fatal cortejo de moléstias infecciosas, competindo com a fome e a sede na terrível faina de destruição.

Luzia encontrara em Sobral, abrigo e fáceis meios de subsistência; mas pressentia iminente perigo do capricho ou paixão brutal de Crapiúna. Era forçoso procurar outro refúgio, e por isso espreitava, ansiosa, os mais ligeiros sintomas da moléstia da mãe, sinais de melhora, para empreenderem a anelada viagem aonde a distância a preservasse dos contínuos sustos e vexames afrontosos. Não confiava no projeto de mudança para a ladeira da Mata-Fresca, dependente de condição, que não resolvera ainda aceitar, além de que ficaria a duas léguas, apenas, da cidade.

Já não ia, diariamente, ao trabalho. Ficava em casa, tratando com desvelado carinho, a pobre mãe, cada vez mais trôpega. Felizmente, o capitão João Braga lhe abonava as rações, e Alexandre não se descuidava de repartir com elas, quanto ganhava, apesar da relutante recusa, oposta à sua espontânea generosidade. Ele vivia folgadamente, porque passara de apontador a fiel do armazém, onde havia grande depósito de mantimentos e todos os valores do almoxarifado. Tinha de mais para si, e doía-lhe no coração não poder aliviar as necessidades dos pobres, seus companheiros de infortúnio.

Um dia, pela manhã, encontrou Luzia desanimada: a mãe passara mal a noite, inquieta, afrontada, como se lhe apertassem o peito ou não houvesse bastante ar respirável no estreito quarto.

— Deus não quer, filha — dizia a velha com o seio ofegante e mal articulando as palavras — Deus não quer... Seja feita a sua... santa... vontade...

— Mãezinha tem tido isto tantas vezes — ponderava Luzia, afetando serenidade — Isto é puxado... Cheire este frasco...

— Parece que tenho ar encausado... aqui... Olha, sinto uma bola... qualquer coisa que me tapa o fôlego. Abre bem a porta... Abana-me... Se eu tomasse o vomitório de papaconha...

— Como está, tia Zefinha? — inquiriu Alexandre, chegando à porta do quarto.

— Como quem está se acabando... Ai Jesus!... Que aflição!...

— Por que não toma aquela garrafa que o doutor receitou?...

— Tenho medo... Disse-me a Chica Seridó que tem veneno... *doreto*...

— Então ela sabe mais que o doutor?!... Tome, experimente...

— Ah, Alexandre; já pedi, roguei, não sei mais que fazer para mãezinha tomar a receita — observou Luzia, quase em lágrimas.

— Há de ser o que Deus for servido...

— Mas tome sempre, tia Zefinha. Faça-me esta vontade. É para seu bem...

— Enfim — concluiu a velha condescendendo — vá lá... No meu estado, só um milagre... Não quero que você diga que não o atendi antes de morrer...

E tomou uma colher da poção, administrada pela filha.

— Aqui está, na garrafa — disse Alexandre repetindo o que estava escrito no rótulo — uma colher das de sopa antes de cada refeição. Quando voltar do serviço, quero encontrar vosmecê aliviada. Adeus, Luzia! O sol já está alto. Vou andando... E eu que devia estar no armazém às seis em ponto...

Desde o dia em que foram alvo das chufas da malta de vadias, capitaneadas pela Romana, Alexandre apenas uma vez pedira a Luzia, com muitos rodeios e acanhamento, resposta à proposta de casamento. Ela, porém, nada lhe respondera, limitando-se a, com um gesto de desânimo, indicar-lhe a mãe, como se a doença dela fosse invencível obstáculo.

Ocultava ao moço, resignado, nutrido de esperanças, o haver recebido cartas de Crapiúna, qual mais apaixonada, qual mais recheada de expansões de amor, acrisolado pela resistência; todas salpicadas de alusões iradas ao outro mais afortunado, e ameaças de não poder sofrear os estos de ciúme que o devoravam, ou de acabar com a própria vida, porque para ele só havia Deus no céu e ela na terra.

Ao menino, que lhe levava as cartas, Luzia respondia invariavelmente: — Diga a esse homem que me deixe sossegada, que não se meta com a minha vida! Mas, por um impulso de curiosidade, muito humano e sobretudo muito feminino, tivera a fraqueza de lê-las, o que ela considerava uma vergonha, senão crime injustificável. Também não ousara contar a Alexandre que o soldado havia aparecido várias vezes na residência. Uma noite passava ele com o Belota e tivera o atrevimento de fazer-lhe uma serenata cantando à viola, quase no terreiro da casa, modinhas e canções eróticas, que terminavam nesta saudosa endecha:

“Vou me embora, vou me embora,
Como fez a saracura;
Bateu asas, foi cantando:
Mal de amores não se cura!...”

Ouvindo-o, Luzia tremia de indignação e terror, suspirando de alívio, quando se sumiu ao longe, o pesqueiro batido, acompanhando a voz fanhosa de Belota, a cantar:

“Quem quiser ser bem-querido,
Não se mostre afeiçoado,
Que o afeto conhecido,
É sempre o mais desprezado.”

— Não sei como essa gente ainda tem coragem de cantar — gemia a velha Zefa — É uma falta de coração...

Pouco depois da partida de Alexandre, prometendo voltar cedo com o doutor Helvécio Monte, surdiu o pequeno mensageiro com uma carta, que deixou sobre o pilão, por ter Luzia recusado recebê-la. Entretanto não pôde ainda resistir à curiosidade, e reincidiu na culpa nefanda de abri-la. E leu:

"Minha Santa Luzia — Esta tem por fim unicamente, dizer-lhe que se há de arrepender da sua ingratidão e quem lhe diz isto é o seu amante fiel até a morte — *Crapiúna.*"

— É preciso acabar com isto, custe o que custar, — murmurou a moça inflamada de cólera — Este malvado me há de desgraçar...

Passou o dia preocupada, e procurando espairecer com desvelos à mãe, mais acalmada com a poção de iodureto de potássio, o venenoso remédio, que, na opinião da Seridó, fazia apodrecerem os ossos, caírem os dentes e pôr o estômago em carne viva, quando seria mais eficaz a purga de mel de abelha e um emplastro de sabão da terra com um pinto pisado vivo; ou com o vomitório de cardo-santo, chá de erva-doce para desempachar o ventre, e raiz de pega-pinto por causa da retenção de ourinas.

— Com esses remédios sarara a defunta Desidéria — afirmava a feiticeira — que padecia de um puxado com apertos do coração e uma dor que lhe tomava o fôlego, respondia — lá nela — nas cruzes e alastrava pelo braço esquerdo, que às vezes ficava esquecido. Vivera a enferma muito tempo, trabalhando como uma negra, apanhando sol e chuva; e, se não fora um ataque violento que não deu tempo para nada ainda estaria vivendo, com a graça de Deus. Remédio de botica havia levado muita gente desta para melhor vida.

Luzia inqùietava-se com a demora de Alexandre, que era pontual à hora do jantar, servido sobre uma tosca mesa improvisada com uma tampa de caixão de pinho, apoiada em quatro forquilhas.

O sol descambava, deixando as cumeadas áridas da serra do Rosário, quando apareceu Teresinha quase a correr e de semblante apavorado.

— Que foi? — perguntou Luzia sobressaltada — Que aconteceu? Que é do Alexandre?...

Teresinha tomou-lhe do braço, levou-a para fora do alpendre e disse-lhe, com voz sacudida de tristeza:

— Uma desgraça!...

— Brigaram? — inquiriu Luzia ansiosa, encarando no semblante da moça ruiva para lhe aprender a misteriosa notícia.

— Imagina que eu voltava da obra e, quando dei por mim, foi com a gralhada de Romana, aplaudindo com as parceiras. Aquelas não-sei-que-diga riam como doidas varridas. Uma dizia: Foi bem feito! A outra resmungava: Bulir com o de-comer dos pobres!... Que miséria!... Se fosse só feijão — grazinava a deslambida da Romana — meu Deus, perdoai-me... Passou as unhas no dinheiro. Quem havera de dizer — rosnava a Joana Cangati, aquela sirigaita, que tem o bucho caído — que aquele sonso...

— Mas... que aconteceu, mulher de Deus?

— Cheguei-me a elas e sube então... Imagina como fiquei estatelada, e caí das nuvens quando me disseram que Alexandre estava preso...

— Preso!... — exclamou Luzia aterrada — Preso?!... Preso por quê?...

— Foi o que perguntei. Então a avoada da Romana começou a

caçoar: Ora o moço precisava preparar-se para o casório; não teve dúvidas; passou a mão...

— Mas... é mentira!...

— Eu também tenho Alexandre em conta de pessoa incapaz de se sujar com o alheio; mas a verdade é que foi preso e lá está, na casa da Comissão, com o Delegado...

— É impossível, Teresinha. Você não acha que Alexandre é incapaz de tamanha miséria?...

— É o que lhe estou dizendo, minha camarada. Está preso e não tem quem puna por ele: todos o acusam, porque tinha a chave do armazém; apareceu hoje fora de horas...

— Oh! Meu Deus! Era só o que faltava! Juro que é falso! Caia eu morta, se não tenho certeza do que digo.

E, dirigindo-se, firme e resoluta, ao quarto, abrigou-se no amplo lençol branco, dizendo à mãe, surpreendida pelos modos agitados.

— Volto já, mãezinha... É um instantinho... Teresinha fica...

Sem atender às observações da velha, passou rápida ao alpendre, e suplicou:

— Você faz companhia àquela pobre... minha amiga. Faça-me esta esmola pelo amor de Deus...

— Que vai fazer?

— Não sei... Deixe-me...

Com um movimento violento desvencilhou-se de Teresinha, que tentara detê-la, e partiu em desvairada corrida.

VII

ALÉM da habitual aglomeração de retirantes na rua do Menino Deus, à porta do armazém da distribuição de socorros, algo havia de extraordinário, a julgar pelos modos assustadiços, os olhares de maligna curiosidade do mulherio, que se acotovelava aos empuxões para observar o que se passava no interior, onde estavam reunidos os membros da Comissão, o delegado de polícia e o promotor público. Dois soldados, Belota e Cabecinha, guardavam a porta, com ordem de vedar a entrada a quem quer que fosse. Crapiúna girava entre o povilhéu, contendo, com maus modos, os exaltados, que protestavam contra a demora da distribuição das rações, principalmente as mulheres que haviam deixado em casa filhos pequenos, sem um grão de farinha para fazer um mingau.

— Cessa rumor! Cambada — intimava Crapiúna, com a costumeira impostoria — Vocês ou ficam quietos e calados ou arribam daqui. Em fariscando comida, ficam logo assanhadas...

E continuava a ronda, sob um chuveiro de imprecações e motejos, que a sua excessiva grosseria provocava.

Os cidadãos incumbidos pelo Governo da penosa tarefa de distribuir socorros, desempenhavam com excepcional e caridosa dedicação, os seus deveres, mantendo o mais escrupuloso zelo e probidade na administração do serviço. Não houvera ainda um caso de *muamba,* coisa muito vulgar em outros centros de afluência de retirantes, nos quais se explorava escandalosamente a miséria, e se desviavam, para serem vendidos por excessivo preço, os víveres destinados aos infelizes famintos. Era, pois, natural que, ciosos de tão honrosos precedentes, ficassem muito impressionados com o roubo de gêneros e de duzentos mil réis em dinheiro, denunciado, naquela manhã, pelo almoxarife.

A porta do armazém fora encontrada aberta, sem o menor vestígio de violência, caixas com fazenda abertas e a gaveta que continha o dinheiro arrombada. Estavam bem patentes os indícios do crime, pegadas do ladrão impressas na poeira, pingos de velas de carnaúba sobre as caixas e o instrumento, empregado para forçar a gaveta, um grande formão de carpinteiro.

Quem seria o audacioso criminoso? O nome de Alexandre, pronunciado por lábios anônimos, no meio da turba, foi logo envolvido pela sinistra atmosfera da suspeita. Ele guardava as chaves do armazém; era empregado de inteira confiança, conquistada pelo mais irrepreensível procedimento, e os mais abonados precedentes; mas não se podia eximir da responsabilidade do fato, senão por desídia, por falta de vigilância. Demais, naquele dia, ele sempre pontual, chegara tarde, notando-se-lhe no semblante profunda perturbação ao encontrar a porta aberta, e o almoxarife, que o interrogava com o olhar severo. Não pudera, no primeiro momento, se justificar ou explicar as circunstâncias que o denunciavam. Indicações vagas, circulando na massa de retirantes, aludiam a fatos que davam corpo às suspeitas. Ele estava para casar; pretendia deixar a cidade; era bem possível que a paixão por Luzia-Homem o alucinasse ao ponto de arrastá-lo a tamanha desgraça. Por outro lado, alguns amigos que o não abandonaram na hora do infortúnio, alegavam que, tendo as chaves, não necessitaria de deixar a porta aberta, apenas encostada, recorriam aos precedentes de porte ilibado, a doçura de caráter, maneiras de pessoa bem-ensinada e de boa procedência.

Entre os pró e contra, prevaleceu o depoimento de Crapiúna, afirmando haver visto, à meia-noite, mais ou menos, um vulto com uma trouxa volumosa subir apressadamente a rua na direção da igreja. Não jurava que fosse Alexandre, por não ter, em consciência, absoluta certeza, e para que não dissessem que o acusava por andar enticado com ele; mas a verdade é que tinha o mesmo andar e a mesma estatura. Não o perseguira por não lhe passar, então, pela cabeça, a idéia de um crime tão vil. Belota confirmava, em todas as minúcias, a história do camarada, protestando todavia, que, até à véspera, seria capaz de meter a mão no fogo por tão bom moço; mas... a ocasião fazia o ladrão...

Alexandre foi interrogado. Estava tão abatido pela comoção, que fez declarações incongruentes, contraditórias e inverossímeis, nem pôde explicar, de modo plausível, a demora. Acossado pelas questões da autoridade, limitava-se a protestar com voz angustiada:

— Juro que sou inocente, seu Delegado. Eu nunca me sujei com o alheio. Antes me secassem as mãos e me faltasse a luz na hora da morte!

Continuava o interrogatório, aliás conduzido com imparcialidade complacente, quando a audiência foi interrompida por estranho rumor, gritos e imprecações ameaçadoras, estrugindo na rua.

Aquecidas as faces pela fadiga da caminhada, os grandes olhos lampejantes de chispas fugitivas e o traje em desalinho, Luzia penetrou nos densos magotes humanos, que lhe embaraçavam a passagem, com ímpeto irresistível; e foi abrindo larga brecha, afastando aos empurrões homens e mulheres, sob uma saraivada de remoques, queixumes e impropérios.

— Arreda, que lá vem Luzia-Homem, como uma danada!...

— Mulher do demônio, você não enxerga a gente, sua bruta?!...

— Esta excomungada está com o diabo no coiro!...

— Vote! malvada!...

— Ficou como lacraia assanhada, por causa do macho...

Luzia era insensível às queixas e insultos, foi avançando sem desfalecimento, sem hesitação. Ao enfrentar a porta, Belota pretendeu tolher-lhe o passo, mas foi repelido com possante e rápido movimento. Igual sorte tiveram Cabecinha e Crapiúna. Este lhe não ousou tocar, inanido por estranho terror. Surdiu, enfim, na sala, e parou indecisa, espantada por se achar entre pessoas notáveis, aturdidas pela surpreendente invasão. Depois se dirigiu a Alexandre, que a contemplava estupefato, num misto de assombro e alvoroço.

— Que foi isto, seu Alexandre?...

— Nada — respondeu ele, baixando os olhos — Um impute[1], que me fizeram...

— Mas é falso!... Não é?...

— Juro por alma da defunta minha mãe...

E grossas lágrimas lhe deslizaram pelas faces tostadas, embebendo-se na barba crespa e aloirada.

— Seja homem, Alexandre — disse-lhe então a moça, com voz vibrante e enérgica — Deus é grande!... Quem não deve, não teme!...

— Choro de vergonha, porque nunca me vi em semelhante desgraça...

Ela, animando Alexandre com a protetora carícia de um olhar inefável, voltou-se resoluta e calma para os circunstantes. Do desalinho das roupas, o lençol pendido do braço a arrastar pelo chão, o cabeção de renda emoldurando o seio nu e palpitante, as desgrenhadas madeixas a lhe caírem em ondulações fulvas de serpentes negras; dos olhos, do gesto e da voz, um concerto de convicção e firmeza, irradiava sobrenatural encanto, empolgando o auditório, subjugado pela esplêndida e fascinante exibição da força e da beleza, harmonizadas naquela admirável criatura.

— Saberão vossas senhorias — exclamou, em vibrações fortes e sonoras — que este homem não é nada meu!... Nem parentes somos, senão por Adão e Eva. Posso morrer sem confissão. Meu corpo não tem pechas, nem pecados a minh'alma...

E estendeu os braços, num gesto largo e franco de inocência que se exibe:

---

[1] *impute*: atribuição a alguém de um fato digno de censura, com fundamento ou sem ele. Nesse caso, é o mesmo que calúnia. (N. E.)

— Entre essa gente maligna que faz pouco de mim, essa gente desalmada que me persegue, como se eu fora uma excomungada ou um bicho brabo, encontrei nele um amigo, um irmão; e hoje, abaixo de Deus, é ele quem me ajuda a sustentar os dias de minha mãe, entrevada dentro de uma rede. Estas noites temos passado juntos fazendo quarto à pobre velha que gemia com dores de fazer cortar coração. Hoje, de manhãzinha, esteve lá em casa e pedi-lhe que fosse procurar o doutor... Ah! meus senhores, até os bichos são agradecidos, quanto mais criaturas cristãs. E aqui está, em pura verdade, porque eu puno por ele e juro que está inocente...

— Não temos provas — observou o Delegado — Por ora só há contra ele suspeitas, indícios...

— Então por que o prenderam? Pois se envergonha um homem sem quê nem para quê, por um impute?...

— Em benefício dele; para apurar a verdade...

— E se não conseguirem isso? — perguntou Luzia impaciente — Ficará preso toda a vida?!...

— Não se aflija — ponderou o Promotor, intervindo, e no intuito de amenizar a pungente cena — Sente-se, repouse. A senhora está muito exaltada, acalme... Que estupendo tipo! Que formoso cabelo — observou à puridade, voltando-se para um dos comissários.

Luzia reparou, então, em seu desalinho, e sentiu um calefrio de pejo, como se a lambessem aqueles olhos que a fitavam com insistência, olhos mortos de volúpia. Colheu os cabelos, toda aflita e ruborizada; enrolou-os rapidamente, e os prendeu com um gesto gracioso no alto da cabeça, e abrigou-se no lençol branco de babados de cambraia de salpicos.

— Donde é natural? — inquiriu o Promotor.

— Eu me chamo Luzia Maria da Conceição. Sou filha do Ipu. Meu pai, que Deus haja, era vaqueiro das Ipueiras do Major Pedro Ribeiro... Está ouvindo, seu doutor?

Ela aludia a gritos e gargalhadas do povilhéu, bradando na rua: Luzia-Homem!... Metam ela na cadeia que se descobre tudo!... Aviem os pobres que estão aqui esperando com fome!...

— Por que lhe deram essa alcunha?

— Eu lhe digo, seu doutor. Desde menina fui acostumada a andar vestida de homem para poder ajudar meu pai no serviço. Pastorava o gado; cavava bebedores e cacimbas; vaquejava a cavalo com o defunto; fazia todo o serviço da fazenda, até o de foice e machado na derrubada dos roçados. Só deixei de usar camisa e ceroula e andar encoirada, quando já era moça demais, ali por obra dos dezoito anos. Muita gente me tomava por homem de verdade. Depois meu pai, coitadinho, que era forte como um touro, e matava um bode taludo com um murro no cabeloiro, morreu de moléstias, que apanhou na influência da ambição de melhorar de sorte, na cavação de ouro no riacho do Juré. Daí em diante, começamos a desandar. Minha mãe, sempre muito doente, e nós duas muito pobres de tudo, menos da graça de Deus, vendemos as miúças e cabeças de gado, que tiramos à sorte da produção da fazenda, os animais de campo e até o meu cavalo castanho-escuro, calçado dos quatro pés e com uma estrela na testa... o meu querido Temporal... Tudo isso para não morrermos de fome quando veio esta seca...

Soluços lhe embargaram a voz, e desatou em copioso pranto.

— Sossegue moça — disse-lhe o Delegado compassivo — A sua sorte nos interessa. Está entre amigos de quem só deve esperar benefício; mas... é preciso ter paciência. Alexandre tem por defesa os melhores precedentes e todos o abonam; entretanto é indispensável que fique detido enquanto duram as diligências do inquérito...

— Preso?!... Não é possível! — exclamou Luzia — Vossa senhoria não fará tamanha injustiça. Eu lhe peço por vida de seus filhinhos... Alexandre é inocente!...

E rojou-se de joelhos, aos pés do Delegado.

— Tenha paciência! — murmurou este comovido, e tentando erguê-la.

Luzia não se conformava com a horrível idéia da prisão; e continuou a suplicar, muito condolente.

Alexandre já não podia suportar aquele espetáculo, que lhe macerava a alma. Suspirou de alívio quando o Delegado mandou conduzi-lo; e, ao passar por ela, disse-lhe com firmeza:

— Tenha coragem. Cadeia não se fez para animais. Espero em Deus sair limpo desse impute que me levantaram... Vá para junto da tia Zefa que eu me arranjo...

Tanto que o preso partiu escoltado pelos soldados Belota e Cabecinha, Crapiúna assomou na sala, mesmo em frente de Luzia, cujo olhar dolente acompanhava o moço e se fixava na porta por onde o levaram. A figura do soldado, detestável de arrogância triunfante, substituindo o preso, no campo da visão desvairada, interrompeu imediatamente a aniquiladora impressão de mágoa; e a moça, transformada por encanto, estremeceu num esto de ódio, que lhe faiscou no olhar, como um corisco.

— Aqui está, seu doutor — exclamou ela, indicando o soldado, com um soberbo gesto de indignação — Aqui está o asa-negra que me persegue, pensando que eu sou da laia dele... Este homem me atormenta com malcriações, com cartas... Espere... Tenho uma comigo...

E retirou do seio, de envolta com o cacho de cravos murchos, a última carta de Crapiúna.

— Eis — continuou trêmula de cólera — a carta que este... não-sei-que-diga... me mandou hoje...

O Promotor tomou a carta; leu-a, sorriu-se e passou-a ao delegado, segredando-lhe:

— Há, talvez, em tudo isso um drama de amor...

— De pouca vergonha, seu doutor, atalhou Luzia — Ele devia saber que sou uma rapariga direita...

Depois de ler a carta, voltou-se o Delegado para o soldado, que até então mantinha ares de basófia:

— Que quer dizer isto?...

— Saberá vossa senhoria que não é nada... — balbuciou ele, sorrindo irônico.

— Nada!... Que significam as suas palavras de ameaça?...

— É um modo de falar para fazer medo e caçoar com ela... Negócio de namoro...

— Namoro, seu atrevido... Pois o senhor fica responsabilizado por qualquer falta de respeito, ou tudo quanto suceder a esta moça...

— Por causa disso — observou o escrivão Antônio Rufino — é que ele foi removido da polícia do Curral do Açougue...

— Eu não quero fazer mal a ela, seu Delegado. De mais a mais não é crime a gente querer bem e pretender uma moça dessas...

— Não admito observações... Retire-se... Veja como se porta!...

Crapiúna fez continência e deu meia volta, com inexcedível garbo militar, lançando a Luzia sarcástico olhar de desafio.

— Vá descansada, moça — disse-lhe o Promotor, com meiguice — Sua mãe reclama os seus cuidados. Quanto a Alexandre, a justiça empregará todos os meios e esforços possíveis para descobrir o verdadeiro autor do delito. Estou persuadido que é inocente.

— Deus lhe pague, meu senhor... Deus lhe dê saúde e felicidade... Queira perdoar a minha ousadia... Fiquei fora de mim... — Suspirou ela, com lágrimas na voz.

E compondo as dobras do amplo lençol de mandapolão, saiu lentamente, desconsoladamente, acabrunhada de dor e vergonha.

O Promotor voltando-se, então, para o Delegado e os Comissários, ponderou:

— Não será esta carta um indício precioso?... Na minha opinião, deve ser vigiado aquele soldado.

VIII

TERESINHA informara a tia Zefa do caso de Alexandre, procurando, com tortuosas e vagas digressões, amortecer o choque demasiado rude, e substituir a filha ausente, preparando o caldo, ajudando a velha a mudar de posição, e convencendo-a de tomar o remédio, que tinha um sabor mau de azinhavre.

— Deus te pague — repetia a velha, fazendo uma careta de repugnância e escarrando com ruído — e perdoe os teus pecados. Bem sabia que o teu coração é bom... Ai... o que te falta é cabeça...

— A minha sina é que não foi boa... — observou a moça com requintes de ternura e meiguice — Se a gente pudesse adivinhar; se soubera o que me havia reservado quando saí de casa...

— E Luzia que não volta!...

— Se não fossem os cuidados estaria melhor, porque o puxado vai passando...

— É o remédio... Tome outra vez...

— Já estou encharcada de mezinha... Coitada da minha filha!...

— Descanse que ela não tarda aí...

— Pobrezinha!... O dia inteiro, com uma triste xícara de café escoteiro[1].

Ao escurecer regressou Luzia. Vinha taciturna e triste, rendida de fadiga. Tomou a bênção à mãe; apertou Teresinha contra o seio, numa demorada e silenciosa expansão de reconhecimento, e deixou-se cair acocorada à soleira da porta do quarto, em postura de desânimo, os cotovelos fincados sobre os joelhos e a cabeça apoiada nas mãos.

— Seu de-comer — disse-lhe Teresinha — está guardado...

— Não tenho fome...

— Ao menos uma xícara de café...

— Deixa-me descansar.

— E Alexandre, filha? — inquiriu a velha plangente.

— Está preso!... Levaram-no para a cadeia como um malfeitor...

— Diz-me o coração — atalhou Teresinha — que ele está penando injustamente... Mas... deixem estar que vou farejar o ladrão... Conheço uma velha que faz a adivinhação da urupema e sabe rezar o responsio de Santo Antônio. Não há furto que não descubra. Uma coisa é ver, outra é dizer. Parece que tem parte com o cão... Meu Deus perdoai-me...

— São abusões — murmurou a velha.

— Pois amanhã cedo vou atrás dela, da Rosa Veado, que mora na Fortaleza, nos quartos da Lianor, e vosmecê há de ver...

— Pode ir embora, Teresinha — disse-lhe Luzia, quebrando o longo silêncio — Você já fez muito por nós...

— Eu?!... Ai, gentes! Que grande incômodo!... Agora é que fico mesmo aqui ajudando. Durmo ali, na esteira, junto do jirau, ou em qualquer parte. Basta ter onde encostar a cabeça...

E, acendendo fogo num cigarro de papel amarelo, continuou contando casos maravilhosos da feitiçaria de Rosa Veado que, além dessa habilidade, era insigne parteira, muito cuidadosa, muito feliz.

Teresinha ficou. Passou a fazer parte da família pois não tinha ânimo de abandonar as duas criaturas, repassadas de amargos sofrimentos, sozinhas naquela casa, sem uma alma condoída que as consolasse. Sabia quanto custava a privação súbita da companhia afetuosa de um ente querido; tinha a dolorosa experiência do abandono e das fatais conseqüências da orfandade do coração. Era quem cuidava da doente nas ausências de Luzia, muito preocupada no andamento do inquérito sobre o roubo. Às provisões que, escassamente, chegariam para mantê-las, ajuntava o pouco que podia conseguir: algumas gulodices, ovos, manteiga e açúcar, adquiridas por preços absurdos. Tomara a seu cargo os serviços da casa, menos os braçais, como rachar lenha e pilar café, porque era aberta dos peitos e cuspia sangue sempre que abusava dos seus delicados músculos.

Procurara, como dissera, Rosa Veado para rezar o responsio; esta, porém, exigira dinheiro para comprar duas velas para o santo,

---

[1] *café escoteiro*: café escoteiro é aquele que se bebe rapidamente e sem comer nada. (N. E.)

luz sagrada, indispensável para o êxito do sortilégio, circunstância que ela não revelou a Luzia, por querer que o descobrimento do criminoso fosse devido, exclusivamente, à sua iniciativa.

Arguta rapariga, afeita ao contacto do vício e do crime, a percebê-los por intuição, estava convencida da inocência de Alexandre, e julgava obra de malvados, a infamante imputação.

— Ele não tem cara de ladrão — dizia — Conheço pela pinta quem pega no alheio; e nunca me enganei... Não se me dava de apostar... Enfim, não quero condenar a minha alma, levantando falso a ninguém; mas... deixem estar que hei de desmascarar os safados, que não têm consciência para fazerem sofrer um pobre...

As reticências irritavam Luzia que, por sua vez, só pensava em deslindar o mistério.

— Ah! Se eu tivesse dois mil réis!... — suspirou Teresinha.

— Para que queres dois mil réis?...

— Para uma coisa que só eu sei...

E passaram-se dias.

Da frugal comida Luzia separava, todos os dias, uma porção que levava a Alexandre. Apesar dos remoques de Belota e dos encontros com Crapiúna, ela cumpria, pontualmente, o dever de visitar o preso e conversava com ele alguns momentos, por entre as grades da cadeia, uma grande sala, no andar térreo da casa da Câmara, onde estavam empocilgados mais de cem homens.

Alexandre não se conformara com a promiscuidade entre criminosos dos mais abjetos. Havia ali assassinos, condenados a penas máximas, envelhecidos naquele recinto miasmático; ladrões que narravam, com repugnante bravata, façanhas deprimentes; moços impulsivos, culpados de crimes passionais, cometidos sob a influência nefasta de paixões incoercíveis, e alguns idiotas, maníacos que apodreciam caquéticos, roídos de moléstias, vegetando, como plantas daninhas, conservados naquela sórdida estufa de podridão e de vício. No ambiente escuro da prisão cruzavam-se redes em todas as direções, umas sobre outras, paralelas ou atravessadas, todas sujas e nauseabundas. A um canto estava o barril d'água; noutro, a cuba do despejo; e, defronte do amplo portão, das quatro janelas largas, abertas para a praça, protegidas por dupla grade de grossos vergalhões de ferro, trabalhavam os sentenciados em sapatos, chapéus de palha e obras de funileiro. Essas janelas eram o parlatório e o balcão dos negócios. Diante delas estavam, continuamente aglomerados, agentes de comércio, ou pessoas da família, mulheres, mães, irmãs ou amantes dos reclusos no ergástulo[1] fedorento e imundo, que a piedade dos Comissários ia extinguir, construindo a penitenciária no morro do Curral do Açougue.

Dentro de dez dias de prisão, Alexandre foi acometido de fortes dores de cabeça e imensa fadiga física e moral. Privado de sol, a tez do rosto perdera o vivo colorido, fez-se pálida e baça; a barba e os cabelos castanhos pareciam pardacentos como erva crestada, e os olhos amortecidos se encovaram nas órbitas rouxeadas. Toda a

---

[1] *ergástulo*: prisão, cadeia, calabouço. (N. E.)

sua pele estava seca e fria, coberta de descamação esbranquiçada, que lhe zebrava o corpo quando se coçava. Queixou-se ao carcereiro, ao Juiz da prisão, que era o Galucho, antigo cangaceiro, portador de um rosário de crimes.

— É assim mesmo — respondeu-lhe o facínora — Nos primeiros tempos, a gente estranha; fica banzeira. Depois se acostuma. Estou aqui há dez anos; ainda me faltam quatro e pretendo, se Deus não mandar o contrário, sair com forças para liquidar contas velhas. Olhe, moço, para essas dores de cabeça só há um remédio: sair, pela manhã, com a faxina...

Mas, a Alexandre repugnava o carregar a infecta cuba de resíduos e secreções, ligado a um criminoso por comprida corrente de ferro, atada ao pescoço pela gargalheira, fechada a cadeado. Mil vezes a morte, intoxicado no ambiente mefítico, à vida maculada pela infâmia, que lhe custaria alguns momentos ao ar livre.

As noites infinitas, cruciantes, ele as passava encolhido perto de uma das janelas, o sono cortado pelos brados de alerta das sentinelas e contando as horas pelo sino do relógio da Matriz fronteira, até ao toque de alvorada, que lhe repercutia no coração, evocando a ânsia de tornar a ver Luzia com informações do processo, e talvez mensageira da liberdade.

Quase todos os dias ela passava pela casa do Promotor, sinceramente interessado na sorte de Alexandre, para se consolar com promessas. A última fora que, terminado o balanço dos gêneros armazenados, o inquérito seria rapidamente concluído.

Até então nada se havia adiantado para esclarecer a justiça. Permanecia a situação indecisa de presunções, meras suspeitas, indícios pouco veementes; e nenhuma prova de alcance jurídico fora colhida, além dos depoimentos dos soldados e de duas mulheres de má vida, a Romana e a Cangati. O fato de ser Alexandre depositário das chaves deixava de ter importância por se haver verificado que a fechadura da porta do armazém, antes tão corrente, estava perra, denotando a introdução de outra chave ou de qualquer instrumento de violência. Nada ocorrera, entretanto, para encaminhar a ação da polícia em direção a outro responsável, tendo sido infrutífera a vigilância, secretamente feita, em volta de Crapiúna.

E, nessa incerteza, dias de penar, noites mal dormidas sucederam-se: Alexandre estiolado na prisão, como planta silvestre, privado de ar e luz; Luzia nutrida de esperanças, que se adelgaçavam em quimera fugitiva.

Num dia desses, regressando a casa, ela respondeu com um gesto de desânimo aos olhares interrogativos da mãe e de Teresinha:

— Por ora... nada... amanhã... amanhã...

— Ah! — suspirou Teresinha — Se eu tivesse dois mil-réis!...

— Para quê? — inquiriu Luzia impacientada pelo estribilho, repetido toda a vez que se queixava da ineficácia das diligências para libertar Alexandre.

— Mortifica-me com essa cantiga... Já vendi os meus brincos de ouro; a vara de cordão, que havíamos reservado para um aperto, também passara a outras mãos... Nada mais temos, nem com que comprar um par de chinelas... Veja?... As minhas já estão com boca de sapo...

— A você, tornou Teresinha à puridade — nada devo ocultar — Eu queria os dois mil-réis para o respônsio...

— O respônsio?!...

— Sim, para comprar duas velas de libra... A Rosa não reza sem isso...

— Como há de ser? Onde irei achar tanto dinheiro!...

— Fosse eu você, Luzia, era só pedir por boca...

— Que fazia?

E cravou na companheira, um prescrutador e sereno olhar, desses que traspassam o corpo e devassam a alma.

— Eu — balbuciou a moça confusa e dominada — Eu?... Não fazia nada... Foi uma asneira que me veio à cabeça... Não pode ser... não se faz a reza... E eu que tinha uma fé... É melhor tirar daí o juízo...

— E acredita que Rosa Veado é capaz de descobrir?...

— Ora... ora... ora!... É dito e feito... Tenho fé cega em Santo Antônio. Em casa de meu pai havia um deste tamaninho e milagroso como ele só. Quando se perdia alguma coisa, bastava prometer-lhe dois vinténs; a gente achava logo sem saber como. E, não se cumprindo a promessa, era castigo certo. De uma feita, desapareceu uma vaca leiteira. Meu pai, desconfiando que a houvessem furtado, chamou o pai Pedro, negro velho ladino e rastejador, e disse-lhe: "Não quero saber de histórias; vosmecê dá-me conta da vaca, ou come relho." Quando o velho falava assim, era aquela certeza. O negro coçou a cabeça, lastimou-se e saiu resmunhando. Bateu capões de mato; esgravatou grotas e já estava desesperado, pensando no que lhe aconteceria, por voltar com as mãos abanando, quando se lembrou de prometer dois vinténs a Santo Antônio. Mal tinha feito a promessa, olhou para uma banda e o que havia de ver? A vaca pastando muito de seu, no lugar onde escondera o bezerro. Pedro pulou de contente, laçou a vaca, e partiu. Em caminho, entrou a pensar que o santo nada havia feito; ele é que estava banzando sem prestar atenção. Por que, então, lhe havia de dar o dinheiro?... Nisto, o animal deu um safanão; arrancou e deitou a correr como um desesperado. Percebendo o castigo, o negro pôs a boca no mundo: Que santo desconfiado!... Eu estava caçoando... Pago os dois vinténs e até mais!... A vaca voltou ao curral com os pés dela e foi o que valeu ao pai Pedro. Olhe, Luzia, tenho visto verdadeiros milagres...

— Amanhã — afirmou Luzia jubilosa como se lhe houvesse ocorrido o meio de resolver a dificuldade — amanhã arranjarei os dois mil-réis...

— Como? Que vai fazer?... Ah! Luzia, não se guie pela minha ruim cabeça...

— Não se arreceie...

— Que é que vocês tanto conversam? — perguntou a velha.

— Nada, tia Zefinha — respondeu Teresinha — Bobages de moças. Eu dizia que se pudéssemos pagar um doutô para soltar Alexandre...

— Não há, então, uma criatura que faça de graça essa caridade?...

— Qual!... Neste mundo tudo se move a peso de dinheiro... Doutô é como padre que não diz missa sem dinheiro... O saber é a foice e o machado deles...

— Não são todos — observou Luzia — O Promotor é um doutô muito bom... Tem feito o que pode pelo pobre que está penando naquele inferno... Amanhã... Amanhã...

Teresinha preparou a candeia de azeite de carrapato; espevitou o pavio de algodão torcido; acendeu-o, soprando com força num tição, e colocou-a no caritó, donde, bruxuleando, vacilante e fumarenta, iluminou em tons melancólicos, em firmes e vagarosos contrastes de claro e escuro, como nas telas imortais de Rembrandt e Espanholeto[1], um quadro admirável e emotivo, cena íntima da pobreza sofredora e resignada.

IX

APAGAVAM-SE no céu pálido os astros e a estrela-d'alva desmaiava, lívida, quando Luzia deixou a rede. Espreguiçando, estremunhada ao fresco terral da manhã, que lhe agitava o traje com suave carícia, desfez os cabelos impregnados de forte fragância de mulher amorosa, como se a própria essência da força e da saúde evolasse deles em capitoso filtro sensual; e, tomando de um largo pente de chifre, começou a desembaraçar as densas madeixas, que se afofavam e intumesciam crespas e lustrosas. Aos seus ouvidos, chegavam os clangores vibrantes do toque de alvorada, recordando--lhe Alexandre encerrado na prisão infecta e escura, entre celerados, àquela hora despertados do profundo sono perturbado pelos sonhos de remorsos implacáveis.

Nos arredores, até onde o olhar podia chegar fendendo a vaporosa nebrina da madrugada, surgiam massas pardacentas de moitas desgrenhadas em gravetos ressequidos, espectros de árvores, a terra poeirenta e as casas ainda fechadas, donde partia o surdo rumor de choro de crianças, ranger de chaves nas fechaduras perras, prolongados bocejos, resmungando frases de vago, quase imperceptível queixume.

No quarto próximo, a velha mãe ressonava com intermitentes gemidos. Teresinha dormia ainda, estirada na esteira, seminua,

---

[1] *Rembrandt e Espanholeto*: Rembrandt foi um grande pintor holandês do século XVII (1606-1669). O seu processo de efeito mais original procede da distribuição da luz e da sombra; esse grande mestre usou com muita propriedade o claro-escuro expressivo.

José de Ribera, apelidado *Espanholeto*, foi um grande pintor espanhol (1588-1652). Sua obra é sintética: poucas personagens, tensas no espírito e nos músculos. As figuras, principalmente os retratos, têm uma expressão marcante. A cor é subordinada à plástica e à luz. A essência de sua arte vem de imprevistos mergulhos de luz em sombras fortes e profundas. (N. E.)

num abandono ingênuo, debuxando-se-lhe as formas delgadas e graciosas. No alpendre esmoreciam, na extremidade dos grossos tições, grandes brasas rubras, sob tênue camada de cinzas brancas.

Ao espetáculo do alvorecer sem alegria, o campo desolado, sem cânticos de pássaros e rumores harmoniosos do trabalho venturoso e fecundante, ela revia a infância, na fazenda Ipueiras: a campina verdejante umedecida de orvalho congregado no côncavo das folhas em gotas trêmulas, os cabeças-vermelhas gorjeando nos mais altos ramos dos juazeiros frondosos; caraúnas airosas papeando em *volatas* vibrantes nos leques das carnaubeiras esguias; rolas arrepiadas e friorentas aguardando, aos casais quietos, bem juntinhas, os primeiros raios do sol. Ouvia o mugir lamentoso das vacas presas nos currais, o gemido soturno e tímido dos bezerros e monjolos famintos; o balir das ovelhas irrequietas no fumegante chiqueiro; o gaguejar dos bodes lúbricos, ébrios de luxúria; e o relincho triunfante do fogoso cavalo castanho, a galopar peado das mãos, de crinas eriçadas, de orelhas espetadas e de rúbidas narinas acesas. E com o cheiro do pasto florido, dos aguapés flutuantes na lagoa azulada, nenúfares de caçoilas entreabertas, sentia o fartum da prodigiosa terra exuberante, e o bafio agro dos rebanhos fecundados. Recordava-se do banho na lagoa, que espelhava o céu, e a paisagem pitoresca, e onde ela nadava como as marrecas ariscas; mergulhava e voltava a flux, espadanando a água com o açoite de cangapés acrobáticos, espantando os paturis e jaçanãs medrosos, os graves socós pousados sobre uma perna e os bandos de alvas garças elegantes. Como era saboroso o leite morno, espumando nas cuias; o tassalho de carne-do-sol chiando no espeto, o cuscuz vaporoso e os queijinhos de cabra, em forma de peito de moça; as merendas e o mel de rapadura e macaxeira, o mocunzá com coco da praia, a coalhada escorrida e os fofos manuês assados em folha de bananeira?!...

Nessa evocação saudosa de um passado morto, ressurgiram as adoráveis peripécias da infância, os episódios da vida de adolescente na penumbra da puberdade, salteada pelas primeiras investidas dos instintos; as festas, os Sãos Gonçalos, os Bumba-meu-boi, as vaquejadas[1], as caçadas de avoantes nos bebedoiros, a colheita dos ovos que elas, abatendo-se em nuvens sobre as várzeas, punham aos milhões, junto dos seixos, das toiceiras de capim, ou nas barrocas feitas, durante o inverno, pelas patas do gado. Sentia ainda zumbir o vento nos ouvidos, quando, em desapoderada carreira, o castanho perseguia, através dos campos em flor, as novilhas lisas ou os fuscos barbatões, que espirravam dos magotes; o ecoar da voz gutural do pai, cavalgando, à ilharga, o melado caxito, e bradando-lhe, quente de

---

[1] *os Sãos Gonçalos, os Bumba-meu-boi, as vaquejadas*: os festejos de São Gonçalo são antigos e ocorrem no dia 10 de janeiro. A tradição fez desse santo o padroeiro das meninas que querem casar. O Bumba-meu-boi é uma festa do ciclo do Natal até Dia de Reis, 6 de janeiro. Hoje, já um pouco deturpado, o Bumba-meu-boi é dançado também no carnaval. As vaquejadas eram festas que se faziam no fim do inverno, quando os vaqueiros reuniam todo o gado da região. O gado era criado solto e misturado. A vaquejada era a festa da "apartação", entrega das reses a seus proprietários. (N. E.)

entusiasmo: Atalha, rapariga!... Não deixes ganharem a catinga!... E quando ela, triunfante das façanhas do campeio, o castanho a passarinhar nas pontas dos cascos, garboso, vibrátil de árdego, as ventas resfolegantes, os grandes e meigos olhos rutilantes, todo ele reluzente de suor, como um bronze iluminado, o enlevo do pai a contemplá-la, orgulhoso, e indicando-a aos outros vaqueiros: Vejam, rapaziada!... Isto não é rapariga, é um homem como trinta, o meu braço direito, uma prenda que Deus me deu... E as moças, suas companheiras, murmuravam espantadas: Virgem Maria! Credo!... Como é que a Luzia não tem vergonha de montar escanchada!...

Paisagem, fatos, coisas, criaturas queridas perpassavam, confundidos, sós, ou em torvelinhos fantásticos; tudo ao longe, num horizonte de nebrinas, como recordações truncadas e vagas de um delicioso sonho interrompido.

....

O sol surgia rubro, sem pompas de nuvens, destoldado.

Teresinha apareceu à porta do quarto, bocejando e fazendo cruzes sobre a boca escancarada:

— Credo!... — murmurou — Pegou-me o sono que não foi graça... Bom dia, Luzia... Você é muito faceira com esses cabelos...

— Bom dia, Teresinha! — respondeu Luzia com uma das madeixas presa aos dentes para lhe poder desembaraçar a extremidade — E mãezinha?...

— Está dormindo, coitadinha, que nem uma criança. Que santo remédio!... Somente — já reparou? — de vez em quando ela a modos que se engasga...

— É da moléstia...

— Que inveja tenho dessa cabeleira! Que é que você fez para crescer assim?

— Nada... Água do pote e pente duas vezes por dia...

— Qual! Isso é do calibre da gente... Eu tenho usado tudo quanto me ensinam: óleo de coco, enxúndia de galinha, uma porção de porcarias... Cheguei até a botar nos meus, remédio de botica... Foi mesmo que nada... Sempre ficaram nestes rabichos que nem me chegam às cadeiras...

— Veja só. Ninguém está contente com a sua sorte... Eu, por mim, não se me dava que os meus fossem como os seus. Dariam menos canseira para os desembaraçar e alisar todos os dias...

— Enfim, cada um como Deus o fez...

— Por que não os ensaboas com raspa de juá? Todas as moças, na redondeza das Ipueiras, têm cabelos lindos, que crescem depressa — dizem — por causa da água de lá, que é virtuosa, e da tal raspa...

— Vou experimentar.

Houve longa pausa. Teresinha, de olhos apertados, sufocada pela fumaça, soprava os tições. Luzia subjugava os cabelos em grande *cocó*, no alto da cabeça.

— Às vezes — disse Luzia — tenho vontade de cortar os meus bem rente. Para que pobre quer cabeleira?...

— Que horror! — exclamou Teresinha — Ficar sura?!... Nem

falar nisso é bom.

— Não faz mal. Cabelo é bem de raiz: quanto mais se corta mais cresce. Assim foi com os meus.

— Há gente que usa cabelos postiços. A Maria Caiçara, aquela cara de lua cheia, que é caseira do Belota, tem um enchumaço, que parece dela mesma. Algumas moças brancas e ricas também gostam disso. Dizem até que compram cabelos de defuntas, cortados pelos coveiros do cemitério... Credo!... Eu teria um nojo...

Nessa ocasião, chegou Raulino, sertanejo muito afamado, alto, todo músculos, de cabelos vermelhos e olhos azuis, genuíno tipo de bretão, bravo e meigo, contador de histórias maravilhosas de grande voga. Trazia, em balança, nos ombros, uma grande toalha de algodão da terra, com uma trouxa em cada extremidade.

— Bons dias, meninas! Como vai tudo por esta casa?

— Assim, assim — respondeu Luzia — E você?

— Eu? Como pobre. Não estou bem em pé, mas encostado, e vou furando, como Deus é servido, o oco deste mundo, até topar na morte. Estão aqui as rações: a sua, sa Luzia, e mais a da velha. Como você não pôde ir trabalhar o capitão José Silvestre me perguntou se eu podia trazê-las. Então respondi: Que é que eu não farei por semelhante gente? Era para vir ontem de tarde, mas porém fui pegar um veado de estimação, que fugiu da casa do doutor e só pude dar com o bicho à boca da noite, lá perto do córrego da Roça. Então resolvi vir agora de manhãzinha.

— Deus lhe pague.

— Ainda não lhe paguei eu, sa Luzia, a esmola que me fez... Se não fosse você, abaixo de Deus, o boi me desgraçava daquela feita...

— Ora, ora, ora... Grande coisa!...

— Mangando, mangando, eu ia, mas era sendo varado pelas galhadas do bicho traiçoeiro... Ainda estou com este pé meio esnocado, mas já lhe piso em riba com vontade...

Luzia desatou as trouxas, e arrumou, cuidadosamente, os víveres, que elas continham, sobre o tosco jirau, enquanto Teresinha torrava café em um caco de pote, mexendo os grãos que se coloriam de castanho, exalando saboroso cheiro.

— Bom, agora vou para a obra — disse Raulino — Até mais ver...

— Espere o café. A Luzia pila num instantinho.

— Café é comigo. Não posso enjeitar — respondeu o sertanejo, com mesuras de agradecimento — Não bebendo de manhã, passo todo o dia com a cabeça dolorida e as fontes latejando...

Teresinha despejou o café fumegante no pilão, e Luzia tomando da *mão* pesada de pau-d'arco, em poucos minutos, a golpes firmes e cadenciados, reduziu os grãos a leve pó inebriante.

Pouco depois Raulino sorvia, a largos tragos, o adorado líquido, que ele entornava no pires e soprava, tão quente estava. Ao terminar, puxou do cós da ceroula um grande corrimboque de retorcido chifre de carneiro, cuja tampa, de casco de cuia, estava presa pelas correias a um velho lenço vermelho; sorveu enorme pitada do caco, e partiu troteando em ligeiro chouto de andarilho.

A velha, cujo sono já causava estranheza à filha, despertou muito melhorada. Havia muito, não lhe fora dado dormir uma hora a fio.

— É do remédio, mãezinha — dizia-lhe Luzia com alegria infantil, beijando-lhe a mão, trêmula e descarnada — Se Deus for servido, vai ficar boa, aliviada desse martírio. Também já basta, tanto tempo dentro de uma rede!... Mais dias, menos dias, estamos de viagem...

A velha sorriu-se, complacente e irônica.

— A demora — continuou a filha — é soltarmos Alexandre...

Às nove horas, partiu ela para a cidade, levando a comida do preso. Já estava quase na volta do caminho, quando Teresinha gritou por ela:

— Não esqueça o que me prometeu ontem.

— Deixa estar — respondeu Luzia, fazendo de longe, um gesto de certeza, e desapareceu.

A entrevista na grade da prisão foi a de todos os dias: palavras de consolações de esperança. Alexandre desanimado e doente, para espairecer as amarguras da reclusão, trabalhava para um sentenciado sapateiro, que lhe dera, em pagamento do salário, um par de chinelos de marroquim verde para Luzia, presente muito oportuno, porque os dela já os não podia quase sustentar nos pés, tão estragados estavam.

Depois da refeição — disse-lhe o moço à puridade:

— Tenho que lhe dizer; mas só quando não estiverem outros presos perto de nós...

— O que é?...

— Uma intrigalhada... Imagine que levantaram...

A confidência foi interrompida pela aproximação de Crapiúna, que estava de serviço.

— Vamos com isso — bradou ele, afetando energia, e piscando sensualmente o olho para a moça — Não quero paleios com os presos. Aqui não é lugar de namoro, nem de bandalheiras. É fazer o que tem de fazer e muscar-se. São as ordens...

Luzia, perturbada com a súbita presença do terrível soldado, não ousou proferir palavra; compôs a trouxa, e partiu, rapidamente, para não ouvir as graçolas, que lhe dirigia a meia voz:

— Ingrata! Não se zangue comigo, meu benzinho... Tenha pena de seu mulato, feiticeira da gente...

Alexandre tiritava de raiva, murmurando entre os dentes cerrados:

— Deixa estar, miserável!... Não hei de ficar preso toda a vida... Nossa Senhora há de me tirar daqui e então aprenderás a respeitar os outros... Peste!...

— Não quero conversa com presos e, de mais a mais, gatunos...

A injúria feriu certeira o coração de Alexandre, que se conteve para se não agravar.

O Promotor recebeu Luzia com a benevolência com que sempre lhe ouvia as queixas, as censuras, com ingênuo desembaraço feitas à morosidade da justiça e das diligências, principalmente o tal balanço que nunca mais se acabava.

— Você tem razão, em parte — dizia-lhe, com brandura, o jovem bacharel — Mas a justiça é cega, não pode correr; deve andar com muita cautela, e, por não tropeçar, muito devagar. Além disso; essa demora, que a impacienta, é favorável a Alexandre, para que ele saia limpo de tão malfadado incidente. Tenha paciência, espere mais alguns dias. Há uma pequena complicação por esclarecer.

Luzia ouvia em silêncio, torcendo e destorcendo a ponta do lençol...

— Noto que está hoje muito preocupada. Que lhe aconteceu?...

— Nada... — respondeu ela de olhos baixos, hesitante — Sempre que topo com aquele soldado, o coração me bate ao pé da goela e fico meia sufocada... É preciso ter muita paciência...

— Fez-lhe alguma?...

— Fez... Mas não é disso que eu queria falar a vossa senhoria... Era...

— Diga sem hesitação...

— Eu queria pedir-lhe um favor, pelo bem que quer a sa dona..

— Fale...

— Lembrei-me que achou os meus cabelos bonitos...

— Sim, é verdade — afirmou o Promotor corando — E... depois?...

— Então vim aqui para lhe vender...

— Vender os cabelos, Luzia?!...

— Não tenho mais o que vender... É a necessidade... Contento-me com dois mil réis por eles... Não é caro...

— Dois mil réis por esse tesoiro?!... Eis um bom negócio, Matilde — disse, dirigindo-se à esposa, formosa senhora, que, em adorável traje matinal, um roupão de cambraia e rendas, entrava no gabinete — Esta moça quer vender os cabelos...

— Oh! É horrível — exclamou Matilde penalizada.

Deslumbrada com a presença da senhora, cujos belos olhos, claros e suavíssimos, se fitavam nela compassivos, ergueu-se e arrancando o pente, deixou caírem as fartas, fulvas madeixas encaracoladas.

— Magníficos — continuou Matilde — Mas... para que serviriam? São muito diferentes dos meus...

— Faça-me esta esmola, minha dona. Veja, não é por me gabar, parece cabelo de branca... Pegue neles, não tenha nojo...

Matilde, após curta hesitação, tomou as madeixas nas mãos alvas e delicadas; fixou nelas os finos dedos, com unhas de nácar, e apertou-os a rangerem como meadas de retrós.

— Que belos, que extraordinários cabelos!... Com que os trata?

— Pente e água do pote. Então? Fique com eles que tenho muito gosto nisso...

— Fico, sim... — respondeu Matilde, tomando súbita resolução — Dou-lhe cinco mil réis por eles; mas... imponho uma condição.

— Quer cortá-los já?... — atalhou Luzia, vivamente.

— Ao contrário — continuou a senhora — não os cortará. São meus, mas ficam na sua cabeça.

Iluminou-se o semblante de Luzia de irrepressível alegria; seus olhos se umedeceram e os lábios, trêmulos, murmuraram:

— Deus lhe pagará, santa criatura!... Nossa Senhora lhe dê uma boa sorte... Oh! a senhora não parece deste mundo... Perdoe-me!... Eu tinha um grande aperto aqui, no coração... Faz-me bem chorar...

— Aqui tem o dinheiro — disse o Promotor, entregando uma nota a Luzia — Amanhã, talvez tenhamos boas notícias...

— Amanhã?... — perguntou Luzia, guardando o dinheiro no seio e compondo os cabelos.

— Sim. Creio que teremos novidade... Vá descansada, que aqui fica o seu advogado — disse ele, indicando Matilde.

E voltando-se para ela, enquanto Luzia partia, alastrando agradecimentos, disse-lhe em tom de afetuoso carinho, muito enternecido:

— Bom negócio fizeste, meu amor! Belíssima ação praticaste... És um anjo de bondade...

X

ROSA Veado voltara extenuada de penosíssimo trabalho. Sentada à porta da casa de taipa, onde morava com os filhos, entre o cemitério velho e a Fortaleza, contava o caso às vizinhas atentas, acocoradas em redor dela, curiosas e admiradas.

— É o que digo a vocês. As outras comadres não lhe puderam dar volta e não tiveram remédio senão me procurarem, porque, não é por me gavar, todo o mundo sabe que eu sou a tira-teimas. Que horror! A mulher tinha a criança atravessada, lá nela; era cheia de dengues; e, quando vinham as dores, não havia meio de ter mão nela. Eram gritos, exclamações!... E botava a boca no mundo, que não era para graças... Também era a primeira barriga, coitada!... Eu lhe dizia: Tenha paciência, comadrinha... É assim mesmo. — Mas eu já não posso mais, sinhá Rosa. Estas dores me arrebentam — respondia ela, com as mãos fincadas nas cadeiras — Ai... ai... ai... que estou me acabando!... — É porque vosmecê não está afeita... A primeira vez custa um bocado... Nisto, vinha-lhe o sono... Ela passava por uma modorra, como se não tivesse nada. De repente, estremecia... — Lá vem... lá vêm elas — repetia espantada — Ai... ai... Minha Santa Virgem!... — Ah, meu maridinho... da minha alma... Ai!... Ai!... E eram ais de cortar o coração de quem não labuta, como eu, desde rapariga. Estava eu já esfalfada; não sabia mais como enganar a pobre, quando ela teve um puxo forte e quebraram-se as águas. Então eu disse: daqui a um nadinha, se Deus quiser, está aí a criança. — As dores foram amiudando, umas em riba das outras e... nada... Por fim a mulher não tinha mais forças; os puxos se espaçaram muito escassos, estava lavada em suores, branca como um pano, os olhos revirados e o nariz afilado...

Credo! Parecia uma defunta... — Tenha coragem, minha comadre. Mais uma vez e estará livre... Ela não falava; berrava como uma bezerra. Peguei-me, então, com o Senhor São Raimundo e rezei o *Magnificat*[1]. Já estava para mandar tocar, no sino da Matriz, sinal de mulher de parto, quando me veio uma fé... Mandei sujicá-la por outra mulher, que estava junto, e vistoriei-a à fina força, porque, toda cheia de luxo e de vergonhas, me dava com os pés como uma desesperada. O menino estava mesmo atravessado. — Vão ver uma botija, minha gente — disse eu. Trouxeram uma botija de *zinebra* vazia, onde eu mandei que ela assoprasse com toda a força. — Sopre... sopre de verdade... Vamos... vamos... mais... mais um bocadinho... Agora... agora... Nisto dei um jeito que só eu sei... A mulher largou um grito rasgado e a criança pulou!... Estava roixo como uma berinjela... Mal se viu aliviada, era só arremetendo para ver o filho... Eu, com medo de dizer que a criança parecia morta, tinha mão na mãe... A criança não dava sinal de vida. Amarrei-lhe o embigo; arrumei-lhe quatro palmadas fortes; meti-lhe o dedo na boca cheia de gosma... Foi dito e feito: chorou logo com força, pois era um menino macho, com a graça de Deus... A mulher ficava cada vez mais branca e com uma sede de engolir quartinhas d'água. Era um frouxo danado. Parecia que se havia sangrado um boi... Então mandei assoprar outra vez na botija. E, como as párias não se despregassem, chamei o marido, mandei que botasse o pé em cruz na barriga da mulher enquanto esta rezava comigo: "Minha Santa Margarida, não estou prenha, nem parida, mas de vós favorecida." Ao cabo da terceira vez, estava tudo acabado. Arre! Que nem com dez mil réis me pagavam o trabalho e o susto... Ainda tenho uma dor aqui, na ponta da costela mindinha, de uma feita que ela me empurrou o pé para fazer firmeza... Credo!...

— Vosmecê tem muita sorte, tia Rosa!...

— Qual! O que eu tenho é fé em Deus.

— Não sei como, em semelhante sequidão, ainda há quem se lembre de ter filhos...

— Você não vê como estão cheios de crianças os abarracamentos de retirantes?!... Até parece imundície, tanto menino...

— É só o que Deus dá aos pobres...

— É um morrer de crianças que até parece praga...

— Se não morressem, mulher, o mundo já não cabia mais a gente. Depois, anjinhos, não faz mal morrerem... Vão para o céu rezar pelos pais...

— Assim mesmo — retorquiu uma gorda matrona que tinha junto quatro crianças — eu não quero que os meus morram... Já que nasceram é melhor que se criem...

— Pois eu tive cinco — atalhou outra — que Deus chamou à sua santa glória. Foram para o céu direitinho, só passaram pelo purga-

---

[1] *Magnificat*: oração da Igreja Católica que utiliza as palavras proferidas por Maria quando foi visitar Isabel. Ambas estavam grávidas: Isabel ia ser mãe de João Batista e Maria esperava Jesus. O verbo latino *magnificat* significa "glorifica, engrandece" e é a primeira palavra da oração. (N.E.)

tório para vomitar o leite pecador...

Em meio da conversa, chegou Teresinha.

— Que fim levou você? — perguntou-lhe Rosa.

— Ando por aí mesmo. Boas tardes a vosmecês todas...

As mulheres corresponderam, friamente, à saudação de Teresinha; e, desconfiando que vinha tratar de algum particular, foram saindo, uma a uma. Era muito comezinho receber a parteira visitas misteriosas, em busca das suas artes, das suas maravilhas.

— Trago aqui os dois mil-réis — dizia Teresinha quando se acharam a sós.

— Hoje talvez não possa fazer a reza — disse Rosa, tomando a cédula e examinando com os olhos pequeninos e cinzentos, armados duns óculos de cangalha, remendados com cera — Estou que não posso me mexer de cansada de um trabalho que me pôs sal na moleira...

E repetiu o caso com peripécias novas, apesar da impaciência da moça.

— Enfim — condescendeu a parteira — como você tem pressa, vou ver se, com a ajuda de Deus, posso fazer hoje alguma coisa...

— Faça, sa Rosa. É em benefício de um pobre que já não se astreve com a cadeia...

— E tem razão. Preso nem para ganhar doce. Só d'eu pensar naquela sepultura, tapa-me o fôlego...

— Podia fazer a esmola de experimentar hoje...

— Eu tinha de servir uma dona, separada do marido, que foi para o Amazonas e nunca mais se soube dele; nem novas, nem mandados... Ela, que esperou tanto tempo, pode esperar mais alguns dias... Vamos lá... Entra para dentro de casa...

E conduziu Teresinha a um quarto estreito, sombrio, atravessado de frechas esguias de sol que, das fendas do telhado, iriadas de doirado pó irrequieto, o iluminavam, e marcavam no chão mornos discos pálidos. No centro, sobre uma esteira, havia um banco, envernizado pelo uso e marcado com pingos de cera. Tirou, depois, de uma velha mala carcomida e desconjuntada, duas velas e uma pequena imagem de Santo Antônio, tão amarrado e enrolado em fitas de cores tantas, que só lhe aparecia a cabeça tonsurada e o microscópico Menino Jesus, nuzinho, sentado sobre o livro vermelho e estendendo os bracinhos para abraçar o santo.

Um gato negro, de olhos fulvos, veio lentamente, a passos tardos e preguiçosos, encolher-se perto do banco.

Dominada por secreto terror do contacto com o mistério, Teresinha acompanhava, com o olhar espantado, os preparativos. Quando a parteira acendeu as velas, que espargiram mortiça claridade no ambiente, e aspergiu os quatro cantos do quarto com uma palha benta, molhada na água do copo, colocado defronte da imagem, se sentiu aniquilada e caiu de joelhos, baixando os olhos para não encontrarem os dela, pequeninos e vivos como os do gato, a fitarem-na com insistência e energia, como se lhe prescrutassem a alma.

— Reze o Creio em Deus Padre — ordenou Rosa Veado, com voz soturna.

Enquanto a moça repetia, maquinalmente, a oração, ela murmurava o responsório, que terminou implorando a Santo Antônio, deparador do perdido àqueles que recorriam à sua intercessão junto do Trono do Altíssimo, fizesse a graça de indicar o ladrão por quem estava padecendo um inocente.

Rosa Veado saiu, então, do quarto, como um espectro, a deslizar sem ruído, e fechou a porta cautelosamente.

Teresinha ficou só no sítio de mistério e esconjúrio. Seus olhos esgazeados acompanhavam os movimentos sensuais do gato, que entrou a caminhar de um para outro lado, farejando e chamando a feiticeira com plangentes miados. Havia, no ambiente enfumarado, sombras adejantes, a atravessarem céleres, os traços luminosos das frestas, como enormes pássaros negros. Toda ela tremia em arrepios aflitivos. Um formigueiro subia-lhe pelas pernas frias, entorpecidas. Gelado suor colava-lhe às têmporas, as loiras madeixas. Arfava-lhe o seio, angustiado por mortal compressão. Quis gritar, mas a voz esbarrou na garganta, embargada por um nó. Fixou o olhar fascinada no brilho do copo e viu se moverem nele, como em uma câmara clara, confusas figuras humanas, mulheres e homens, arrebatados por um furacão, com doidos volteios de dança macabra. Ao mesmo tempo, experimentava a impressão de alar-se do chão, sorvida pelo enorme e poderoso hausto de colossal boca invisível. Cresciam as figuras; tinham feições de pessoas conhecidas; riam com esgares ferozmente sarcásticos; envolviam-na; arrastavam-na no galope diabrino... Ela desmaiava de gozo, à deliciosa sensação de adejar no espaço, subtraída à gravitação, como um floco de nuvem, alma sem corpo.

Em plena alucinação, não perdera, todavia, os sentidos e a idéia, fixada e dominante em seu cérebro conturbado: o crime imputado a Alexandre e a infamação do castigo. As suspeitas, que lhe haviam cavado largo sulco no espírito, se acentuavam com o testemunho dos olhos, porque via, nos vultos cabriolantes em redor, autores e cúmplices do delito, indicados por Santo Antônio. O responsório produzira o apetecido efeito. Quando, entretanto, empregava enorme esforço por apreender bem os traços dos semblantes deformados por horríveis caretas, tênue fumaça, de cheiro inebriante, começou a invadir o quarto. As figuras mais se adelgaçaram, imergiram outras nos rolos vaporosos, para surgirem, depois, mais confusas, mais disformes e misturadas, até desaparecerem em treva densa.

Teresinha despertou, sacudida por forte acesso de terror, e vomitou um bolo de saliva efervescente.

As velas ardiam, lacrimejantes, ao lado do pequenino santo. De um fogareiro de barro, cheio de brasas amortecidas, subia tênue fio de fumo, cheiroso, dum azul delido. Rosa Veado, de joelhos, fitava nela os olhinhos fulvos como os do gato negro, que ressonava, então, estirado na esteira.

— Não se assuste... — observou baixinho, a feiticeira — O incenso consagrado foi-lhe aos grogomilhos...

— Vosmecê não saiu daqui?... — perguntou a moça, com voz magoada e débil, esfregando os olhos lacrimosos e congestos.

— Saí, sim. Fui buscar o fogareiro e o incenso...

— E não viu?!...

— O quê?!...

— Eles... pelo ar...

— Vi, mas foi você, de queixos cerrados e olhos esbugalhados, sem responder às minhas perguntas... Que rapariga medrosa!... Credo!... Nem que lhe houvesse aparecido alguma visagem!...

— Pois vi mesmo... Estou bem certa... Dê-me uma pinga d'água... que tenho uma coisa... aqui... na boca do estômago. Um entalo...

— Tome um golinho deste copo...

— Deste, não!... — atalhou vivamente Teresinha, com um gesto de repugnância — Não quero, está enfeitiçada... Ai... que tenho as pernas bambas, sem ossos...

— É o que eu digo. Tudo isso é medo... Bem se vê que você nunca assistiu a respônsio. Daí, bem pode ser que o glorioso Senhor Santo Antônio tivesse feito o milagre...

— Fez... fez... Eu vi tudo, muita coisa; mas não lembro bem... Espere... Era uma porção de gente maluca; era... Oh! tenho a cabeça a andar à roda e besoiros nos ouvidos...

Rosa Veado apagou as velas, guardou-as com o santo e conduziu Teresinha, que mal podia caminhar, vacilante, trêmula, para fora do quarto. À impressão violenta da claridade e do ar livre, ela esfregou, de novo, os olhos, e espreguiçou-se fatigada, em contorções felinas...

— Quando estiver com o juízo assentado — ponderou a feiticeira — há de recordar tudo... Agora é esperar com fé, e verá como a coisa se descobre, quando menos pensar. Quando pilhar uma ocasião, farei a adivinhação da urupema, que nunca falhou... Deixe por minha conta... Já sei que, nessa história, anda metida alguma mulher...

Confusa, envergonhada, todos os seus membros desmantelados, Teresinha partiu perseguida pelos olhares matreiros do mulherio da vizinhança, mal podendo arrastar as pernas trôpegas e doloridas, com as articulações a estalarem de perras e as virilhas traspassadas por alfinetadas pungentes.

Quando se viu longe da casa da Rosa, murmurou, irada e suspeitosa:

— Aquela bruxa me botou quebranto...

XI

CONTRA a expectativa de Luzia, Teresinha regressou desanimada e lânguida, sem a natural vivacidade e rapidez de movimentos, que lhe assinalavam a índole instável, a indiferença, quase inconsciente, da torpeza a que a fatalidade a arrastara. Tinha amortecidos e sombrios os olhos faceiros, e a comissura dos lábios, sempre arqueada pelo hábito do sorriso desdenhoso e irônico, se dilatava, desgraciosa, em torvo traço de sofrimento.

— Então?... — inquiriu Luzia, com ânsia.

— Quase morro... — respondeu ela, comprimindo os quadris

magoados — Nunca mais... me meto em outra... Credo!... Quem de uma escapa...

— Que houve?... Que te aconteceu?...

— Um horror!...

— E o respônsio?...

— A Rosa rezou...

— O ladrão não é Alexandre...

— Não sei...

— Fala, mulher, pelo amor de Deus. É preciso que a gente esteja a te espremer...

— Ainda tenho a cabeça meia atordoada e as pernas lassas... Sinto ainda uma dor aqui nas cadeiras...

Teresinha gemia as palavras e contorcia-se em requebros lascivos e dolentes. Depois, fixando, com esforço, as idéias, que lhe giravam dispersas no cérebro, como reminiscências de fatos remotos, fez a narrativa dos episódios da bruxaria, com minúcias exageradas, tocadas do forte colorido de fetichismo e alucinação.

— Quando vi, minha negra, as horrendas figuras crescerem e dançarem como demônios do inferno, são os ladrões — disse comigo — mas não lhes pude divisar bem as feições, tantas e tão feias eram as caretas que me faziam. Parecia um bando de papangus[1].

— E não os reconheceu?...

— Qual!... Aquilo foi, por força, arte do cão... Que horror!... Disse-me a Rosa que esperasse com fé... Vamos ver...

— Descansa... É possível que, depois de assentares o juízo, te lembres melhor...

— Ninguém me tira da cabeça que aquela esconjurada, meu Deus perdoai-me, botou-me coisa ruim no corpo...

— Não pensa nisso, criatura... Você está nervosa.

— Isto é doença de moça rica...

— Doença não quer saber de branco nem de preto; não respeita fortuna nem pobreza... Venha cá — acrescentou, empolgante, com o olhar áspero e desconfiado — Você viu alguma coisa, mas não quer ser franca...

Teresinha fez com a cabeça um gesto negativo, e sentou-se acabrunhada. Luzia continuava a contemplá-la ansiosa. Seus olhos, reluzentes de aflição, exprimiam a esperança no milagre e a revelação anelada para restaurar a honra de Alexandre, e restituí-lo à liberdade...

Quanto tempo teria ainda de esperar? Quantos dias e quantas noites seria ainda o mísero obrigado a passar entre aquelas quatro paredes infectas?... E se não fosse possível salvá-lo; se a justiça descobrisse provas contra ele; se, na verdade, fosse o culpado de tão feio crime?!...

Tais dúvidas empanavam, como nuvens fugaces, o atribulado espírito de Luzia.

---

[1] *papangus*: os papangus são pessoas que usam máscaras e fantasias no carnaval ou festas de reinados. A comparação do autor vale porque essas máscaras desfiguravam completamente os foliões e costumavam ser assustadoras. (N. E.)

Alexandre teria energia para suportar a prisão, o vilipêndio da pena infamante; ela, porém, não se podia conformar com a idéia de reconhecê-lo criminoso, acusado de ladrão e maculado para sempre. Preferiria vê-lo morto, estirado no chão, fulminado por um corisco.

— Ninguém me tira da cabeça — acentuou Teresinha, emergindo da prostração que a subjugara — que aquilo é obra de soldado...

— Também eu — ajuntou Luzia — já pensei nisso... Um homem, como Alexandre, não teria astúcia para tanto... Além disso, haviam de, por força, desconfiar dele...

— Com efeito... Era preciso ser muito besta para furtar as coisas do armazém, fazendas, mantimentos, dinheiro...

— Sim, coisas que davam logo na vista... Quem só vive do trabalho, que mal dá para o de-comer e arranjar um molambo para se cobrir, não poderia esconder semelhante furto... Quando aparecesse com roupa nova ou fizesse gastos...

— É mesmo. Perguntava-se: onde foi o fogo, onde arranjou isso?... Quem cabras não tem e cabrito vende... Eu, por mim, não se me dava de jurar que não foi Alexandre... Gente que tem furto na consciência não olha direito para os outros... Cara de ladrão não me engana...

— Ah! Teresinha!... É Santo Antônio quem está falando pela tua boca... Os anjos digam amém...

— Tanto hei de teimar que descobrirei tudo... Não é a primeira nem será a última vez que eles fazem das suas e botam a culpa nos outros...

Ocorreu, então, a Luzia o que lhe havia dito Alexandre, aludindo, em termos vagos, a uma intriga que não queria revelar diante dos outros presos. O Promotor também lhe falara, com meias palavras, de uma pequena complicação, naturalmente alguma coisa desfavorável, algum indício de culpa... Que seria?... Que intervenção diabólica frustara o milagre, perturbando a visão de Teresinha, lhe ofuscando a memória? Quem sabe se ela não vira o ladrão e, por natural delicadeza, se esquivava de lhe patentear a dolorosa realidade para não a magoar, privando-a do inefável conforto da esperança com a desilusão e a tristeza esmagadora de deparar a verdade fria e implacável?!

A razão é a luz; a dúvida é a treva, congeminação de contrastes engendrados pela mesma causa. Felizes os irracionais, porque não duvidam.

Apesar da sua energia máscula, ela se sentia aniquilada, num colapso de nervos enrijados à contínua tensão de tantas amarguras e cuidados, vexames, a pobreza, duras privações de haveres, a moléstia da mãe, o pressentimento de perdê-la a qualquer momento e a obsessão do soldado, além da orfandade, o desamparo pela prisão de Alexandre, a única pessoa que a poderia ajudar a viver.

Não lhe bastavam para tormento constante, as próprias aflições? Para que se mortificar com a sorte dele? Não era seu parente; nada os ligava, a não ser recíproca troca de favores, a gratidão, orvalhando o gérmen da simpatia instintiva e um projeto vago, a proposta de se aliarem pelo matrimônio.

Quem sabe — pensava ela — se, em vez de partir de impulso do coração, não fora feita por generosidade, compaixão, ou desejo sensual de possuí-la, onerá-la com a responsabilidade da família, filhos, que aumentariam os vexames já oprimentes, para depois, como tantos outros, abandoná-la, inflingir-lhe a abjeção de ser preterida por outra mulher, crime que os homens cometem como um direito do sexo, ou divertimento cruel, igual ao de matar rolas e desmanchar ninhos?!

Culpado e punido, ficaria livre de penar por ele, do compromisso de gratidão e das conseqüências funestas do triste consórcio de dois pobres. Sozinha no mundo, poderia, com a graça de Deus, e os seus músculos, trabalhar para viver, ou emigrar para a praia em busca da proteção e amparo do padrinho José Frederico.

Tais pensamentos, bons e maus, perversos ou generosos, acudiam, em tumulto, disparatados e contraditórios, ao seu cérebro perturbado pela dúvida. Acariciava-os ou lutava para expungi-los; e vinha-lhe, por fim, o remorso de haver pecado por soberba, por falta de caridade, julgando mal Alexandre, quando, em verdade, os sofrimentos dele repercutiam no seu coração com dobrada intensidade, como se ele fora parte de seu ser, porção de sua alma.

Seria isso bem-querer, como imaginava; duas criaturas confundidas de corpo e alma em harmonia ininterrupta de afetos e idéias, vivendo da mesma nutrição moral, dos mesmos anelos, eternamente ligados no prazer e na dor, na vida e na morte?!

Sentia-se incapaz de amar; carecia-lhe a fraqueza sublime, essa languidez atributiva da função da mulher no amor, a passividade pudica, ou aviltante da fêmea submissa ao macho, forte e dominador, irresistível, como aprendera na intuitiva lição da natureza; essa comovente timidez de novilha ante a investida brutal do touro lascivo, sem prévios afagos sedutores, sem carícias de beijos correspondidos, como nos idílios das rolas mimosas. Não; não fora destinada à submissão. Dera-lhe Deus músculos possantes para resistir, fechara-lhe o coração para dominar, amando como os animais fortes: procurar o amor e conquistá-lo; saciar-se sem implorar, como onça faminta caindo sobre a presa, estrangulando-a, devorando-a. Não era mulher como as outras, como Teresinha, para abandonar a família, o lar, a honra, por um momento de ventura efêmera, escravizando-se ao homem amado, contente do sacrifício, orgulhosa do crime, insensível ao vilipêndio, sem olhar para trás onde ficaram os tranqüilos afetos, para sempre perdidos; e, por fim, consolada à torpeza do repúdio infame, à margem da estrada da vida, como um resíduo inútil, condenado a vis serventias, trapo que foi adorno cobiçado, molambo que vestiu damas formosas, casca de fruto saboroso e aromático.

Não; não fora feita para amar. Seu destino era penar no trabalho; por isso, fora marcada com estigma varonil; por isso, a voz do povo, que é o eco da de Deus, lhe chamava Luzia-Homem.

XII

A velha dormia tranqüilamente, e as duas moças continuavam a conversar no alpendre.

— Queria você muito bem ao Cazuza? — perguntou Luzia a Teresinha, de súbito emergindo de um vago cismar.

— Se queria!... — respondeu-lhe ela, com saudoso suspiro. — Por ele larguei pai, mãe e irmã de quem eu era um ai-Jesus! Era o seu tudo e sentia-me tão feliz com ele que, desde o dia em que Deus o levou, fiquei insensível como uma pedra, vivendo por viver, rolando à toa pelo mundo...

— Nunca teve inclinação para outro?

— Eu, não. Vendo-me sozinha e desacostumada a trabalhar para comer, não tive remédio senão me resignar à minha sorte e estar por tudo. Quando algum homem se engraçava de mim, eu fingia gostar dele. Encontrei um desalmado que me queria como uma fera; tinha maus bofes e me trazia, ciumento como o demônio, que nem negra cativa. Aquilo não era homem; era o cão em figura de gente. Por qualquer suspeita ficava danado como se me quisesse comer viva. De uma feita, arranchou-se na casa em que morávamos como marido e mulher, um moço rico e bonito, que se pôs a olhar muito para mim; e eu, ao levar-lhe o café, caí na asneira de sorrir para ele. Ah! Luzia, se você me visse naquele tempo!... Não é por me gabar, alva como uma imagem, com duas rosas nas faces e carnes rijas como pau!... Meus cabelos pareciam de oiro e meus olhos eram azuis e claros como duas contas. O mundo e a pobreza estragam a gente. Hoje, veja como estou murcha, engelhada, cheia de sardas... Mas, para encurtar razões, quando o moço foi embora, o homem pôs-me de confissão; e, não sabendo eu o que lhe dizer para me desculpar de falta que não me passara pela cabeça, disse-me uma porção de desaforos porcos, nomes de mãe; chamou-me sem-vergonha, safada, deslambida, e, agarrando-me pelos cabelos, deu-me tabefes...

— E você? — perguntou Luzia, indignada.

— Eu chorei muito; lamentei a minha desgraça; jurei por todos os santos do céu, que era inocente, até que ele, com um pontapé, me atirou para dentro da camarinha, berrando possesso: "Anda, peste!... Amanhã não me ficas aqui em casa; ponho-te fora, na estrada, onde te apanhei como uma cachorra vadia..." E fechou, com estrondo, a porta. Fiquei na escuridão, maginando no que faria de mim, quando amanhecesse. Ao mesmo tempo que me fervia o coração, estava contente com ver-me livre de semelhante bruto; mas tive medo de apanhar outra vez, e esperei quieta o que desse e viesse. — Que me importa — disse comigo — Hei de achar quem me queira... E, pensando no moço causador daquela desgraceira, peguei no sono, deitada numa rede velha que ali estava armada. Quando os galos estavam amiudando, ouvi bulir na porta; levantei-me de um pulo; fui deitar-me no mesmo lugar onde havia caído e pus-me a soluçar baixinho. Abriu-se a porta, e a claridade do copiar, alumiado por uma vela, deu em cheio sobre mim. Eu estava derreada, no chão, sustendo o corpo com a mão esquerda, enquanto tapava os olhos com as costas da direita, olhando por baixo. O desalmado entrou devagarinho; chegou perto de mim; ficou alguns minutos parado e disse-me, depois, em voz sumida e zangada: "Vá se deitar no seu quarto..." Eu não respondi, nem me mexi; entrei a soluçar mais forte. Tocou-me, então, de mansinho, no braço, dizendo, já com outra voz, manhosa e adocicada — "Teresa, você está zangada comigo?" Repeli o agrado com um safanão do cotovelo. Ele continuou, procurando abraçar-me: — "Este meu gênio!... Às vezes faço coisas!... Veja: estou arrependido... do que fiz..." Estava quase acocorado junto de mim. "Só o que falta — resmunguei, soluçando mais forte — é mandar-me surrar pelos seus vaqueiros com um nó de peia." — "Perdoa, coração — continuou, tentando ainda me abraçar — Eu não sou mau, mas o ciúme me tira o juízo. Esqueça tudo, minha cunhãzinha da minha alma... Prometo nunca mais te ofender. Pede o que quiseres, benzinho; serei teu escravo..." E, suspendendo-me do chão, levou-me ao colo como uma criança... Todo ele tremia; eu sentia-lhe o baticum do coração; suava e bufava como um novilho... Eu, nem como coisa: zangada, gemendo e soluçando. No outro dia, enquanto ele se derretia e se babava em agrados e promessas, eu maginava no moço e no Cazuza que, lá do céu, me pedia vingança...

— Você não abandonou logo esse malvado?!...

— A falar a verdade, não era de todo mau. Fiquei por medo e por não ter coragem de começar a vida de novo... Já tinha padecido tanto, que mais um pouco não me fazia mossa. Mal com ele, pior sem ele, que, tirante as venetas de ciúme, era bom para mim; dava-me tudo: era só pedir por boca, como dona de casa... Maridos, casados na igreja, batem nas mulheres, quanto mais... Ora, deixei-me estar, mas pensando sempre que o meu adorado Cazuza nunca me havia maltratado, e que eu devia, mais cedo ou mais tarde, tomar desforra; porque, apesar de franzina, ninguém mas faz, que não as pague, tão certo como Deus estar no céu.

— Vingou-se então?...

— Ora, ora, ora!... Eu lhe conto. Seu Berto (ele se chama Bartolomeu, mas todos o tratavam assim) foi em fins d'águas fazer a ferra em uma fazenda dos Crateús. O outro parece que soube disso, e se apresentou uma tarde, debaixo de um pé d'água, que se diria vir o céu abaixo. Eram relâmpagos e trovões de encandear e ensurdecer a gente. Aboletou-se e passou a noite. Soube, então, que era um tal capitão Bentinho, de família muito rica e poderosa. Trajava bem, gibão, guarda-peito, e perneiras de couro de capoeiro, muito macio, bordados de flores, pospontadas à sovela, com abotoadura e esporas de prata. Não imagina como tinha a cor fina e branca, e uma barba parecida, comparando mal, com a de Jesus Cristo. Como estou falando com o coração aberto, não tenho vergonha de confessar que me engracei dele, acho que por capricho ou por ser em tudo diferente do outro. De madrugada, ainda chuviscando e antes que a gente da casa acordasse, arrumei algumas peças de roupa e meti-as em sacos com alguns patacões dados pelo

Berto; e fugimos: ele montado num possante quartau pedrez, eu à garupa. Arre! que foi uma viagem de arrebentar. Tivemos de atravessar muitas léguas de sertão, passando rios a nado, dormindo no mato e comendo de alforje até chegarmos a uma povoação, perto da fazenda, onde moravam os pais dele. Aí fui aboletada em casa de uma velha. Passamos três dias como noivos: ele, fino como seda; eu, cheia de denguices e manhas, como rapariga donzela. E contudo, Luzia, você não é capaz de acreditar que, amimada pelo Bentinho, todo delicadezas e cerimônias, tinha saudades do Berto com o seu sangue na guelra, aqueles olhos devoradores, aquela brutalidade...

— É possível?!... Pai do céu!...

— Você não sabe de quanto o bicho mulher é capaz, quando vira a cabeça.

— Anda; conta o resto.

— Eu fazia idéia da fúria, da danação dele, quando deu por falta de mim, da cunhãzinha russa. Imaginei os berros, os despropósitos, as pragas, que me irrogou, as ameaças de desforra, pois sabia que não era homem para se conformar com o roubo da mulher. Meu dito, meu feito. Um dia chegou Bentinho muito assustado, recomendando que me escondesse, porque lhe haviam inculcado gente do Berto nos arredores da povcação. Fiquei mais morta do que viva. Não me podia levar para a fazenda, porque a família, que tudo ignorava, não consentiria nisso. A velha que quase não dava fé de mim e vivia muito ocupada na criação, entrou a tomar precauções para ninguém suspeitar a minha estada em sua casa. Um dia, era dia de feira, e eu tinha um desejo doido de ver a reunião de gente de uma redondeza de vinte léguas, vendendo legumes, farinha, rapadura e outras produções da lavoura; mas a megera não consentiu que eu botasse o nariz de fora. Ali por volta de meio-dia, ouvimos tiros de bacamarte e uma algazarra dos demônios, um bate-boca desadorado. Pouco depois soubemos que houvera um pega entre cangaceiros, desconhecidos no lugar, e a gente do Bentinho, e que já havia morrido um homem... Que seria?... Fiquei numa aflição, tremendo de susto, mas experimentava uma secreta satisfação que fosse por minha causa a briga e o sangue derramado.

— Que horror!...

— Estava num pé e noutro para ter notícias certas do barulho, quando, entrou, de repente, Bentinho. Vinha muito amarelo, com a mão enrolada em um pano e acompanhado por dois cabras, armados até os dentes. — Que foi? — perguntei-lhe assustada — "Nada, um arranhão no pulso, respondeu com voz sacudida — amarre-me, endireite-me isto, sa Quitéria." Enquanto a velha punha mezinha na ferida, um talho que ia da palma da mão esquerda ao meio do braço, Bentinho, fora do seu natural, com os olhos espantados, a voz surda e seca, ainda trêmulo de raiva, contou-me que, chegando à feira, fora desfeiteado por uns cabras, novatos na terra, já muito encachaçados e intimando com todo o mundo. Chamou a gente para amarrá-los, mas um deles, saltando como um gato sobre o ginete, disse-lhe: — Você pensa, seu alvarinto, que amarrar homem é furtar, à traição, mulher alheia? Nisto chegou, à toda, o

João Brincador com três homens escolhidos, e eu disse-lhe: — Amarra essa cambada de desordeiros. — Em cima das minhas palavras, riscou o Berto, e foi dizendo: — Você pode amarrá-los seu filho desta, filho daquela, mas depois de me pagar e ajustarmos as contas. — Eu e os meus demos de rédea para sairmos do meio do povo; eles, rente, atrás da nossa poeira. A certa distância rodamos sobre os pés os animais, e os cabras que também estavam bem montados, quase esbarram em riba de nós. — Agüenta, rapazes! — disse ao João, que me respondeu sorrindo: Não há novidade, capitão. Deixe eles para nós. Palavras não eram ditas, o Berto papocou-me fogo. Abaixei-me, e a bala tirou um taco da beira do chapéu do João — O cabra mata seu Bentinho! — gritou ele — Os outros cangaceiros atiraram, e os meus responderam com uma descarga. O cavalo de um deles empinou-se e rodou morto por cima do cavaleiro, também ferido. O Berto, então, veio seco em cima de mim, e correu dois palmos de faca do Pasmado — Tenha mão, capitão Berto — disse-lhe eu, aparando o golpe, com a minha parnaíba — Tenha mão que se desgraça. Mas o homem estava roxo de raiva; espumava como um touro feroz. Avançou outra vez num ímpeto, que não era para graças. Suspendi o russo-pombo passarinhando como um gato; salto pra aqui; pulo pra acolá, e o homem decidido atravessando-se na minha frente, com o cavalo preto e ligeiro que nem um tigre. Na terceira investida, meteu-me o ferro com vontade. Rebati com a mão; mas quando senti o aço ranger-me na carne e o sangue espirrar, saquei da garrucha. O homem estava cego, arremeteu de novo e meteu-me o ferro outra vez aqui na aba do gibão. Vendo, então, que o diabo me matava mesmo, e que eu não podia com vantagem brigar com ele a ferro frio, perdi as cerimônias, e lasquei-lhe fogo... O homem soltou um berro; abriu os braços como se quisesse abraçar o vento, e derreou pra trás. O cavalo, sentindo falta de rédea, deu quatro galões e meio, como um poldro brabo e desembestou desapoderado, arrastando Berto enganchado no estribo. Morreu?!... — perguntei, tiritando de frio, e batendo os dentes como se tivesse sezões. "Não sei. Foi batendo por troncos e barrancos até desaparecer de nossa vista com os dois cabras restantes metidos em uma nuvem de poeira. Dois dos dele ficaram no barro. Da minha rapaziada, o Chico Pintado levou uma bala aqui na coxa — lá nele —; o Borburema perdeu o gibão, e foi ferido com um pontaço nas cruzes; o Brincador ficou com o chapéu, novo em folha, estragado. Todo o mundo sabe que ele tem o corpo fechado. Enquanto brigávamos, o povo fazia um barulho medonho. Todos viram que me defendi o mais que pude, negaceando, para lhe poupar a vida. O diabo do ferro cortava como navalha. O talho está doendo de verdade." E voltando-se para mim, disse: — "Não chores, Teresa. Isto, com sumo de angico ou de maçã de algodão, sara depressa... É uma arranhadura de nada." Supunha que eu chorava por ele; mas, naquela ocasião, meu pensamento acompanhava Berto, desfigurado pelos encontrões, coberto de sangue e pó, arrebatado pelo Moleque, cavalo de estimação que eu bem conhecia. Minha vontade era correr atrás do pobre, apanhar os pedaços da sua carne, arrancados pelos tocos e pedras. Talvez o encontrasse ainda vivo para pedir-lhe perdão... Desde esse dia, ficou decretada a minha desgraça. Bentinho me achava sempre triste e sucumbida. Eu tinha repugnância daquele homem manchado com o sangue do outro. Não era já a mesma mulher... Ele parece que percebeu isso, e foi também esfriando, até que me participou o seu casamento com uma prima bonita e rica. Eu respondi que lhe fizesse bom proveito... Deu-me um maço de dinheiro e não voltou mais a casa da velha Quitéria.

Luzia, embebida nas palavras de Teresinha, acompanhava a narrativa com intenso interesse, intenso abalo.

— E... depois? — perguntou.

— Depois? Enquanto durou o dinheiro, quase um ano, fiquei com a tal velha que foi a minha asa-negra. Tomou conta de mim como de uma besta de carga; fazia de mim o que queria; mandava e eu me sujeitava, calejada, estando por tudo sem protestar, sem me aborrecer. A velha, que era toda agrados enquanto eu estava rica, virou para me insultar e, uma vez por outra, me atirava à cara que era necessário ganhar com que pagar o pirão que eu comia, porque não era minha escrava...

— Não prenderam Bentinho?...

— Qual prisão, qual nada!... Ficou solto, e respondeu o jurado quando muito bem quis. O pai dele, o coroné Manel Fernandes era o maioral dono da terra.

— Ficou um ano, dizia você...

— Pouco mais ou menos, contando do dia da briga, até quando a velha morreu de um nó na tripa. Dei graças a Deus por me haver livrado de semelhante bruxa, e resolvi voltar para a casa de meu pai, embora ele, que era teimoso e ríspido, me matasse; mas, em caminho, tentou-me o demônio e fui rolando de um lado para outro, de povoação em povoação, até que a seca me apanhou. E aí está, minha camarada, como vim bater aqui.

Ela, com efeito, peregrinara pelo vasto sertão, de miséria em miséria, rastolhando, perdida como um pedaço de pau arrastado pela correnteza do rio, caindo nas cachoeiras, mergulhando nos rebojos, surgindo adiante, para bater de novo sobre pedras, tornando a ser arrebatado, até que, ao baixar das águas, pára, coberto de paul e ervas secas, garranchos e flores, que transportou de longe, esperando a enchente na próxima estação, e continuando a trágica jornada, até apodrecer em ribas desoladas, ou perder-se na imensidade do oceano.

É essa a história da peregrinação mundana das desgraçadas, que se desterram no seio amigo da família, quebrando o suporte dos afetos puros, e vagando sem rumo, na ebriedade de gozos efêmeros, à mercê da fatalidade intangível e cega.

XIII

ESTEVE-SE Luzia absorta, fitando em Teresinha demorado olhar aceso de admiração, como se lhe ela se revelasse sob a forma estranha e sugestiva de uma heroína provada nos mais rudes lances da luta pela vida, e conservando ainda o coração sensível aos nobres impulsos de ternura, de dedicação e piedade do infortúnio alheio. Os episódios romanescos, que ouvira num enlevo de surpresa e espanto, como as crianças ouvem, tímidas, maravilhosas histórias de fadas e princesas encantadas, ou as proezas de lobisomem e cavalos sem cabeça, vagando pelos campos, nas noites tétricas em que os jacurutus sinistros piam à beira dos rios; todos aqueles casos da paixão dominadora arrastando, lentamente, para a voragem, a rapariga franzina, indiferente ao perigo, sem saudades da casa paterna e sem remorso da culpa que a poluíra, incapaz de resistir, e reincidindo no pecado como um vicioso na absorção de licores capitosos que o intoxicam, flutuando na embriaguez da volúpia e despertando maculada e resignada à própria vergonha, assumiam, na sua imaginação excitada, proporções gigantescas de feitos valorosos, extraordinárias façanhas de uma criatura forte, disfarçada sob ilusórias aparências de debilidade doentia. Disseram-lhe que o sofrimento embotava as delicadas fibras do coração; que o pecado o esterilizava, como o sol esteriliza a terra, e estiolava as florações sadias da semente do bem; entretanto, Teresinha era a negação viva dessas verdades afirmadas por uma moral de convenção, sentimental e absurda. Tinha a superioridade da mulher contente de sofrer pelo seu amor, como um crente pela sua fé, o martírio ultrajante do desprezo, o vilipêndio de viver execrada; aceitara, com resignação de forte, as conseqüências todas do primeiro passo, dado no enlevo de um sonho delicioso, para o declive fatal, onde ninguém mais se detém e se equilibra. Deveriam ser fortes, admiráveis, as mulheres que sobrevivessem às provações do opróbio, com a alma imaculada; e Luzia, apesar de seus músculos exuberantes, se sentia aniquilada, ao pensar em ser colhida por um só dos incidentes da pitoresca vida de Teresinha; morreria extenuada como um pássaro cativo na arapuca. Seria horrível ver morrer o homem amado, o abandono, o ser surrada pelo amante, brutalmente sensual, e, todavia, lamentar-lhe a morte... Seria horrível, seria monstruosa essa escravidão da mulher desbriada ao senhor do seu corpo, essa passividade de animal, de coisa a mudar de dono. Ocorria-lhe, então, que não havendo experimentado essa abjeção, não tinha direito de maldizer da sua sorte, incomparavelmente mais propícia que a de Teresinha, a heróica rapariga que se não queixava.

Surgia no horizonte o Cruzeiro rutilante, reclinado nos coxins nebulosos da Via-Láctea e a bafagem morna da madrugada parecia o arfar da terra extenuada, sucumbida de cansaço, quando, interrompendo a conversa, as duas se entreolharam espantadas: tinham percebido algo de suspeito, estalidos de galhos secos, rumor de passos precavidos, vozes abafadas, sumidas, muito perto da casa, na direção das touceiras de mandacarus que defendiam, com intransponível cerca de espinhos, o pequeno quintal abandonado.

— Ouviu? — perguntou Luzia.

— É talvez — respondeu Teresinha, que escutava atenta — o barulho do terral nos galhos, algum animal roendo o mandacaru.

— Não é a primeira vez que ouço esses passos furtados, fora de horas, ali pela cerca e no terreiro... Parece que alguém nos espia.

— Tens medo, fracalhona?...

— Não tenho medo, não; mas é melhor irmos lá para dentro.

— Pois sim. Não se me dava de ver o que é.

Recolheram ao quarto. Luzia abeirou-se da rede onde, encolhida como uma criança, a velha ressonava tranqüila. Teresinha ficou a espreitar, cozida à porta entreaberta em estreita fenda; com um aceno de alvoroço, chamou a outra, e viram, ao lusco-fusco, um grupo.

— Parece que são soldados — observou-lhe Teresinha.

— Talvez a ronda... — balbuciou Luzia.

— Não: são dois homens e uma mulher. Espera... Olha: estão conversando...

Então, muito juntas e apavoradas, ouviram:

— Eu não dizia que estão dormindo?!...

— Qual — teimou uma voz feminina — estão acordadas. Juro que ouvi, ainda agorinha, falação de gente no alpendre...

— Também ouvi — afirmou outra voz mais clara e forte — Deixemos de histórias. É melhor não teimar. Elas botam a boca no mundo e estamos perdidos... Nada. Aquilo, aquela bruta, não é mulher de brincadeira...

O conselho foi aceito pelo grupo, que se esgueirou sorrateiro, apressadamente.

— O diabo roncou-lhe na tripa — disse Teresinha triunfante, mostrando a Luzia, a lâmina nua do grande canivete de mola — Era tocarem na porta, eu fisgar logo um deles, para não ser atrevido.

— Parece que ouvi a voz de Crapiúna.

— Pode ser; mas não estava fardado. Só queria saber quem foi a safada que veio com eles...

— Que intenções teriam? Olha, Teresinha, não é a primeira vez que ouço esses passos suspeitos. Há muito tempo, desconfio que andam rondando a nossa casa.

— Também ouvi, mas não maginei que fosse gente. Não maldei nada.

— São capazes de tudo.

— Lá isso é verdade.

— Várias noites, Crapiúna e Belota andaram a cantar fora de horas, aqui por perto...

— Só me dá que pensar a mulher... Será possível que viessem botar feitiço? E... não é outra coisa; é mandinga...

— Outro dia, quando abri a porta de manhã cedo, topei, mesmo na soleira, um saquinho com penas de galinha pretas arrepiadas...

— E não o abriu para ver o que continha?...

— Deus me livre. Eu não. Tive nojo e varri tudo com o cisco para dentro daquele buraco, cheio de carrapateiras e que foi barreiro.

— Pois eu não resistia. Havia de revistar tudo, pegasse-me, embora, o malefício.

— E você acredita nisso?...

— Não sei o que é, se feitiço ou obra do cão; mas, tenho visto casos de pôr tonto o juízo da gente. Há malefício para abrandar coração, curar ciúmes e até para produzir moléstias. Lá em casa havia um velho, que curava bicheiras dos bezerros pelo rasto...

— Abusões...

— Busões?!... Conheci um moço que foi enfeitiçado por uma rapariga, embelezada por ele. A criatura, de repente, ficou toda torta, como se lhe desse o ar... Ave-Maria; foi murchando, secando até ficar pele e osso. Parecia mais um defunto em pé, que gente viva. Desenganado de remédios de botica, foi se receitar ao padre João Crisóstomo; chupou chave de sacrário[1] do Santíssimo, mandou fazer orações fortes... Foi bobage... A felicidade dele foi topar uma cigana, que lhe deu contra-feitiço, uns poses para beber com leite de peito... Santo remédio, menina!... Uma coisa é ver outra é dizer, como ele se levantou, já tendo os pés na cova.

— Bem, fecha a porta e vamos dormir que é quase de madrugada.

— É mesmo... E eu que estou moída... Parece que levei uma surra...

Fechada a porta com precaução para não despertar a doente, Teresinha despiu-se rapidamente; coçou o vinco do cordão das saias na cintura; enrolou, espreguiçando-se, em gestos felinos, os cabelos; persignou-se e derreou-se na esteira.

Lentas passaram as horas para Luzia, sentada na rede, estremecendo ao menor ruído do vento nas folhas da latada, e aguardando, ansiosa, o quebrar das barras, com os primeiros fulgores da aurora. Seu olhar compassivo flutuava entre a doente, a moça adormecida e a candeia a crepitar melancólica, no caritó enfumarado.

Renascia-lhe, no coração, a esperança de melhoras da mãe adorada; e, ao mesmo tempo, suspeitava que aquele prolongado sono fosse efeito de dormideiras, que lhe houvesse dado o médico. Meditava na tranqüilidade angélica de Teresinha, seminua, apenas coberta por uma leve camisa de esguião, preciosa relíquia de antiga abastança, e acreditava que lhe houvera Deus perdoado as culpas, porque era boa na essência, e as purgara neste mundo. Entretanto, ela, que nunca havia feito mal a ninguém, que não abandonara os pais, nem traíra, nem ocasionara a morte de homens que a amassem, ela que tudo sacrificara, aspirações de moça e prazeres, que resistira aos instintos de mulher, para manter, em meio do paul, a sua pureza imaculada, ali estava, acabrunhada de pensamentos tristes, cruciantes como remorsos, com a alma inquieta e o coração latejando de susto, à previsão de perigos tremendos.

Que havia feito para sofrer tanto? Que funesta influência exercia sobre as pessoas que lhe queriam? Fora, talvez, ela que trouxera desgraça a Alexandre. Bastou que ele lhe desse os cravos rubros, crestados ao calor de seu seio, para lhe imputarem um crime infamante e ser preso como um réprobo.

---

[1] *chupou chave de sacrário*: uma das superstições mais curiosas do nosso povo diz que chupar a chave do sacrário onde é guardada a Eucaristia faz sarar qualquer doença. Ainda hoje esse costume pode ser encontrado entre algumas populações do meio rural. (N. E.)

Teria má sina, mau olhado?... Seria dessas criaturas fatídicas, cujo contacto desorganiza e destrói? Conhecera uma formosa moça, em cujas mãos, ovos batidos para mal-assadas, não cresciam e desandavam em aguadilha choca; talhava o leite; definhava e morria a planta de que ela colhesse uma flor, ou matava com o olhar ninhadas de pintos espertos e lindos, como macias borlas de veludo? Havia, então, criaturas, predestinadas para o bem e para o mal?... Nasciam umas para o sofrimento, outras para o gozo, da mesma forma que as havia destinadas ao céu ou ao inferno?... E Deus, Deus, pai de misericórdia, permitia isso, essa iniqüidade revoltante?!...

E o seu espírito, flutuando à mercê de noções incompletas do bem e do mal, das causas e efeitos reguladores da vida, se rebelava, em assomos impotentes, contra as injustiças do destino cego e louco.

XIV

UMA surpresa auspiciosa assinalara o amanhecer: a velha enferma erguera-se, sozinha, da rede; e, escorada a um pequeno cacete de *cocão*, envernizado pelo uso, apareceu à porta do quarto.

— Deus seja louvado — exclamou Luzia, em gárrula expansão alvoroçada.

— Seja bem-vinda, tia Zefinha!... — disse Teresinha, com largos ademanes maneirosos — Abanque-se aqui, no alpendre, que está mais fresco. Ora, até que enfim... Não há mal que sempre dure...

— É a minha promessa a São Francisco das Chagas, de Canindé — observou a enferma — que me restituiu a saúde... Eu tinha uma fé...

E o seu rosto de pergaminho, retalhado de rugas e dobras, se dilatava em meigo sorriso.

— Olhem — continuou, caqueando no seio do cabeção, bordado de *cacundês*, onde imergiam confundidos, entrelaçados, os rosários, bentinhos e medidas de santos, que lhe pendiam do pescoço; e mostrando uma caçoila com a imagem do milagroso padroeiro em péssima gravura, cujos milagres admiráveis atraíam os fiéis, vindos de longínquas paragens, em contínua romaria à sua bela igreja cheia de ex-voto, pernas, braços, mãos e cabeças, modelados em cera, ou toscamente esculpidos em madeira, vistosamente coloridos e marcados de chagas hediondas, muito sarapintados de sangue e arrouxeados de equimoses e alguns verdadeiros aleijões, monstruosidades repugnantes; muletas e ligaduras de pano velho, duras de sânie embebida; todas essas relíquias de piedade, penduradas, em simetria, às paredes da nave, rememorando curas, obtidas pela intercessão do santo, a quem Jesus Cristo concedera a graça de marcar com o estigma das cinco chagas.

Também fizera uma promessa a São Gonçalo da Serra dos Cocos e a outros patronos celestiais, não menos afamados pelo prestígio de sarar enfermos, desesperados da saúde. Estava em verdadeiro apuro para dar conta de todas elas; mas, o padre Antônio

Fialho, ouvindo-a em confissão, lhas comutara em leve penitência, impondo-lhe a obrigação de rezar algumas coroas, terços e o ofício de Nossa Senhora, hino mirífico, que, quando é cantado na terra, os anjos se ajoelham no céu. Nas horas de alívio, ela se penitenciava debulhando, entre vagos fulgores de esperança, as contas luzidias de um rosário bento pelo santo missionário frei Vidal.

— Não sinto quase o puxado, minhas filhas, e aquele entalo, que me sufocava, também desapareceu. Dormi, que nem um passarinho, louvado Deus.

— Eu bem lhe dizia, tia Zefinha, que o remédio, abaixo de Deus, havia de ser a sua salvação.

— Agora — observou Luzia — é continuar com ele: estamos de viagem.

— E tu a dar-lhe, filha. Espera mais um pouco. Estou tão afeita a sofrer que, se não fosse falta de fé, desconfiava ser isso visita da saúde...

— Qual, vosmecê vai arribar mesmo — afirmou Teresinha, com muita convicção.

A velha sentou-se, acariciada pela filha, que lhe endireitou as dobras da saia e o lenço da cabeça, enquanto Teresinha preparava o chá de erva-cidreira, que ela tomava todas as manhãs.

— Agora, disse a velha, com um suspiro de alívio — vocês podem cuidar do trabalho, que ficarei tomando conta da casa. Se não fosse esta pobreza, tomaria uma menina para fazer-me companhia, varrer o terreiro, dar-me um caneco d'água, enquanto estivessem fora labutando... Já passei, aqui, dias e dias sem ver vivalma, até que a Luzia voltasse da obra... Que dias compridos!...

— Dias que não voltarão, tia Zefa, porque aqui estou eu, que a não largo mais...

— Se houvesse por aí — continuou a velha — uma pasta de algodão, fiaria um novelo para não estar banzando sem fazer nada... e só pensando na moléstia...

Às nove horas Luzia, ansiosa por saber o que lhe começara a contar Alexandre, a revelação interrompida pela sobrevinda insolente de Crapiúna, partia com o almoço para o desconsolado preso, que, mal terminada a refeição, lhe perguntou se sabia alguma coisa de novo; e, pois lhe a rapariga respondesse com simples gesto negativo, disse, à puridade, suspeitar da interferência maligna de algum interessado em desgraçá-lo.

— Sabe o que me fizeram — continuou, amargurado — Levantaram-me uma calúnia... Você conhece a Gabrina, aquela moça morena, que perdeu a mãe, há pouco tempo?... Pois não inventaram que eu lhe havia dado dinheiro e dois cortes de vestido?...

— O quê?!... — exclamou Luzia, franzindo os sobrolhos, e encarando no moço.

— Eu que nunca alevantei meus olhos para semelhante criatura senão para salvá-la, quando nos encontrávamos no trabalho.

— Quem disse isso?

— Há gente para tudo, até para levantar falsos contra os seus semelhantes.

— Mas... quem inventou esse aleive?... Ela?!... É possível que uma rapariga tão moça tenha maldade para tanto?...

— Disse que eu andava há muito tempo atrás dela, seduzindo-a com promessas de casamento e que, sozinha no mundo, sem ter quem se doesse dela, não se lhe dera de consentir... Veja que mulherzinha mais desalmada... E eu, disse ela, lhe dera os mimos para que ela saísse logo de casa comigo...

— E você jura que isso é mentira?...

— Eu?... Eu não preciso jurar; basta, Luzia, que lhe afirme...

— Por certo... Demais, que tenho eu com os seus particulares?... Você não tem necessidade de negar... Mentira ou verdade, é livre, desimpedido, senhor da sua vontade para empregar o bem-querer em quem for do seu agrado. Isto não é da minha conta...

— Mas... queria explicar...

— Para quê? São desnecessárias para mim essas explicações. Deve dá-las ao Delegado...

— Luzia — continuou Alexandre, fitando-lhe uns olhos pisados de mágoa — Você tem sido, abaixo de Deus, minha protetora, meu anjo da guarda nesta desgraça, que me apanhou. Não tenho outra pessoa que puna por mim... se me abandonar...

— Abandonar!... Não penso em semelhante ingratidão. Além disso, é obrigação fazer o que tenho feito pelo senhor e ainda mais, se necessário for, muito embora, depois de solto, satisfaça o capricho do seu coração. Serei sempre a mesma, somente não estou para levar fama sem proveito, como já me tem acontecido...

— Sei quanto tem sofrido por minha causa...

— Não vale a pena. Fui eu quem lhe truxe caiporismo. Mas, só peço a Deus que me ajude a tirá-lo desta cadeia. Depois, o senhor toma o seu rumo e eu o meu. Será melhor assim para ambos...

Houve prolongada pausa. Alexandre, conturbado àquelas palavras secas e cruéis, contemplava, num misto de espanto e mágoa, a figura da moça, enleada, e de olhos cerrados, quase absorta em torturantes pensamentos. Rompeu ele, a custo, o oprimente silêncio.

— Que rumo tomarei, Luzia, senão o seu? Para onde for, hei de acompanhá-la como a minha estrela, a minha guia, segui-la como o cachorro vai atrás do dono que o abandonou e o despreza. Se eu entulho o seu caminho, se quer ver-se livre de mim, não me tire daqui; não empregue mal os seus passos... Deixe-me entregue à minha sorte, apodrecendo nesta sepultura de vivos, infamado... esquecido como um malfazejo, que nem compaixão merece. Só lhe peço a esmola de não desconfiar da minha inocência... Caiu-me em cima uma infelicidade que não sei explicar, uma vingança de mulher, de inimigos miseráveis; mas não sou ladrão... Nunca!...

— Vingança de mulher!... — murmurou Luzia, num grande entono de cólera indomável.

— Atenda-me. Essa Gabrina, além de má, é ingrata. Quando a mãe caiu doente e foi desenganada, foi comigo que se achou para arranjar remédios e um caldo chilro para a infeliz. Eu sabia que a filha era uma doida, que apressara a morte da mãe com desgostos, arrebates e más respostas, por isso tive somente em mira fazer obra de caridade para não a deixar morrer à míngua. Você sabe que morreu mesmo; e, então, a filha foi para a companhia da Chica Seridó; e nunca mais me ocupei com a vida de semelhante desmiolada... É verdade que não faltou quem atribuísse os meus atos a embelezamento pela moça, que dava cabo ao machado, inculcando-se...

— Já lhe disse que nada tenho com isso, nem desconfio do senhor...

— Então por que me ameaça com a separação?...

— Quem sou eu?... Quero evitar as más línguas, que não me poupam. Em homem nada pega, mas, em moça, tudo tisna. Eu confio em Deus acabar os meus dias, limpa como nasci do ventre da minha mãe... A pobreza não me afronta, porque tenho forças para trabalhar e ainda não cansei de sofrer. Sabe o que temo? Que façam pouco de mim, que me frechem com dictérios e caçoadas. Às vezes, tenho ímpetos de estraçalhar uma dessas criaturas perversas que me olham pelo rabo do olho, rindo pelo canto da boca, como se eu fora uma ridícula... Quando o senhor for para a sua banda e eu para a minha, tudo acabará...

— Como acabaria, se nos casássemos.

— É impossível... Nasci com má sina...

— Bem, Luzia... Vejo que me suspeita, embora não o diga francamente... Paciência... Será como for do seu agrado.

— Luzia amarrou, lentamente, a toalha com os pratos da refeição, que Alexandre mal encetara. Havia nos seus gestos, aparências de calma fria, resoluta. Toda ela, entretanto, vibrava com o abalo estranho, indefinido, que a invadira como um frio pérfido de moléstia.

— Até amanhã — disse ela, secamente.

— Não venha mais, Luzia... — murmurou o preso — Não vale a pena fazer mais sacrifícios por mim... Arranjarei aqui mesmo o de-comer. Basta. Não mereço tamanha dedicação... Deixe-me de mão, já que não quer ser ridícula...

Ela não lhe respondeu. Retirou-se, de manso, com o andar lento e fatigado de quem vai a contragosto. Alexandre acompanhou-a, com os olhos desvairados, até que ela dobrou a esquina do João Padeiro, e desapareceu no beco do Coronel Braga. Pungia-lhe o coração imensa saudade, o pressentimento de nunca mais tornar a vê-lo, remorso de haver provocado a separação com o excesso de brio, ressumante nas palavras cruéis com as quais se desonerara da piedosa tarefa de visitá-lo todos os dias, para levar-lhe, talvez, o melhor quinhão da magra despensa de pobre, o precioso quinhão do pobre, que se priva do apenas suficiente para não morrer à fome. Súbito, ele estremeceu de pasmo, de dolorosa surpresa, ao fitar a parede, onde se fincavam os vergalhões de ferro da dupla grade... Estavam ali, entre migalhas da comida, murchos e ressequidos, os cravos rubros que ele havia dado a Luzia...

XV

TÃO preocupada regressara Luzia da cadeia, que não reparou em Dona Matilde, debruçada sobre uma das janelas da casa do Promotor. Foi preciso que a formosa senhora a chamasse para arrancá-la da funda meditação absorvente, em que imergira o espírito, como num antro caliginoso.

— Aonde vai tão apressada, Luzia?...

— Desculpe-me, dona — respondeu ela, estacando, confusa e enleada, como se lhe houvessem surpreendido a tortura moral — Estava tão atarantada que não vi vosmecê, quando era minha intenção falar com o seu doutô a respeito do processo.

— Entre. Estou com saudades dos meus bonitos cabelos...

— Aqui estão sempre bem tratados e muito mais cuidados do que quando eram meus — disse Luzia, libertando a opulenta cabeleira do pente que a sustinha.

— Que lindos!... — exclamou Matilde, acariciando, com mimo, as bastas madeixas — Como estão macios... Oh! nunca vi coisa igual...

Luzia agradecia, com um sorriso contrafeito de melancolia.

— Você — continuou a senhora — parece contrariada... Que lhe aconteceu?... Sua mãezinha vai melhor?...

— Muito melhor...

— E Alexandre?...

— Como preso, quase sem esperança de se ver livre da enxovia...

— Tenho grande dó de você, Luzia, moça capaz, merecedora de melhor sorte. Mas, que significa esse ar sombrio, esses olhos amortecidos?...

Luzia não respondeu.

— Diga-me — continuou a senhora, com meiguice — quer muito a Alexandre?...

— Por que me pergunta?

— A sua dedicação ilimitada àquele infeliz só pode ser inspirada por um grande afeto, dêsses que não esmorecem ante os maiores sacrifícios.

— Não sei se lhe quero muito... Sei que lhe devo muita gratidão por ter sido bom para nós, o protetor e amigo, que nos ajudou...

— E é somente por gratidão, que o defende com tanta dedicação?...

— Só por gratidão. Por que, então, havia de ser?...

Luzia respondia com esforço. As palavras irrompiam de seus lábios, ásperas, aos pedaços, com uma falaz aparência de calma e indiferença.

— Você não é sincera, Luzia; não confia, talvez, em mim. Ninguém é superior ao próprio infortúnio; e mais humano, mais nobre, é confessá-lo que o sufocar ou esconder. Sofre-se mais no repúdio à consolação e ao lenitivo... É possível que não tenha consciência do estado do seu coração, ou não saiba explicar o que, nele, se passa? Não é crime amar, e Deus abençoa o amor das criaturas honestas, como um sagrado impulso da natureza, tanto mais forte quanto mais contrariado. Você é mulher forte. Os seus afetos devem ser mais intensos e impetuosos que os das outras, frágeis e passivas, entre quem vive deslocada, sempre como estranha, porque não foi feita para nascer e viver entre essa gente. Nisto consiste a sua infelicidade. Você sente que, em volta, entre os seus amigos e conhecidos, ninguém a compreende e a estima como merece. Daí, é fácil imaginar quanto sofreria se viesse a amar algum indigno de você... É um desastre que, vulgarmente, acontece, causando desgraças irremediáveis...

— Por que me diz isto?

— Sabe que, nesse trama contra Alexandre, aparece uma rapariga que o acusa?

— A Gabrina...

— Como soube?...

— Alexandre, ainda há pouco, contou-me tudo...

— Ah!... Ele lhe falou nisso?!... E você?...

— Que importa... Tanto se me dá que ele queira bem a ela como a outra qualquer...

— Empenha-se ainda em libertá-lo?...

— Por certo. Não penso noutra coisa...

— Admirável!...

— Puno por ele porque me diz o coração que está inocente. Ainda que fosse culpado, confessasse o crime, eu não era capaz de abandoná-lo na desgraça...

— Mesmo tendo cometido o crime por causa de outra mulher?

— Que tem isso?... Ele é senhor do seu coração, pode dá-lo a quem quiser. Demais, querer bem não é obrigação. Eu não poderia exigir que ele me pagasse alguns serviços de amizade, ligando-se a mim, ele um moço branco, eu uma pobre mulher de cor, sem eira nem beira, com a mãe doente às costas, neste tempo de seca e carestia de tudo. Além disso, ninguém gostaria de casar com uma criatura, que tem o apelido de Luzia-Homem, como esse que o meu fado ruim me deu...

— De homem só tem a força; é bem bonita rapariga... Que pretende, então, fazer?...

— Quando Alexandre for solto, pego em minha mãe, que está melhor, e marcho para a praia, como os outros retirantes.

— Você é uma extraordinária criatura, Luzia. Cada vez mais interesse me desperta...

— Reconheço que faz isso por bondade de santa... Só lhe peço que se empenhe com seu doutô para acabar esse tal de inquérito, para libertar Alexandre e a mim, que não devo me arredar daqui, enquanto ele padecer...

— Fique descansada. Farei o possível... Aqui para nós... Meu marido não acredita na história da tal Gabrina; desconfia mesmo que ela foi insinuada...

— Ah! Não acredita, não é?!... — acudiu Luzia, com estranha vivacidade, iluminado o rosto, num fulgor de vitória.

— Pobre coração, que te atraiçoas — observou dona Matilde, sorrindo, deliciosamente irônica.

— Gabrina é ingrata e vingativa como uma cobra...

— Meu anelo é que você e meu marido tenham razão, mas desconfiarei até verificar a verdade... Oh! os homens...

— A senhora é ciumenta?...

— Como uma leoa, como toda a mulher apaixonada até à loucura...

Luzia espetara na bela senhora, os olhos espavoridos, onde havia algo de surpresa e prazer, ante a revelação, que estalou vibrante.

— Deve ser assim — murmurou como se monologasse — Raiva de onça contra quem lhe bole na carniça, ou lhe rouba os filhos... Fui má; ofendi Alexandre. Agora é tarde... O que está feito não está mais por fazer...

— Não desespere, Luzia. É bem possível que tudo acabe do melhor modo e você seja recompensada de tantas aflições e cuidados. Tenha coragem. Não se amofine. Não quero que os meus belos cabelos embranqueçam por muito apurar o juízo em coisas tristes...

— A senhora é do céu, dona Matilde.

— Vá sossegada que, hoje mesmo, à tardinha, cuidarei da sua causa.

— Faça isso. Será obra de caridade, que não cairá no chão.

Luzia, retendo as lágrimas, rorejantes nos negros olhos ansiosos, e muito grata, beijou-lhe as mãos brancas, duma maciez fina de camurça, e partiu.

Na rua, atravancada por enormes e pesados carros toscos, arrastados por muitas juntas de bois magros, escapados da devastação do gado, carros de pesadas rodas inteiriças e oblongas para que as excrescências do círculo, os tombadores, diminuíssem o esforço da tração, sobrecarregados de fardos, caixas de víveres e mercadorias, amarradas entre os altos fueiros; por entre eles e os bois, deitados, rendidos de fadiga, e ruminando tranqüilos, sonolentos, e os lábios cinzentos, lubrificados de baba espessa, deslizava a intérmina torrente de retirantes andrajosos, esquálidos, torpemente sórdidos, parando de porta em porta, a mendigarem uma migalha, ossos, membranas intragáveis, os resíduos destinados a repasto de cães.

No largo da feira, a aglomeração asfixiava em redor das vendas ambulantes de mantimentos, expostos em caixões, sacos, sob os tamarineiros, trapiás frondosos, à sombra de toldos de estopa, manchada de largos remendos variegados.

Magotes de crianças nuas, de hedionda magreza de esqueleto, de grandes ventres, obesos e lustrosos como grandes cabaças, lançavam olhares, terríveis de avidez, sobre pilhas de rapaduras, grandes medidas de quarta, desbordantes de farinha e feijão, pencas de bananas, rimas de beijus, alvíssimas tapiocas, montes de laranjas pequeninas e vermelhas, colhidas na véspera, nos pomares murchos da Meruoca.

Os míseros pequenos, estatelados ao tantálico suplício[1] da contemplação dessas gulodices, atiravam-se às cascas de frutas lançadas ao chão, e se enovelavam, na disputa desses resíduos misturados com terra, em ferozes pugilatos. Era indispensável ativa vigilância para não serem assaltadas e devoradas as provisões à venda, pela horda de meninos, que não falavam; não sabiam mais chorar, nem sorrir, e cujos rostos, polvilhados de descamações cinzentas,

---

[1] *tantálico suplício*: Tântalo foi uma personagem da mitologia grega. Algumas de suas atitudes desagradaram a Zeus, rei dos deuses. Este condenou-o a ser amarrado a uma árvore cheia de saborosos frutos, no meio de um límpido regato. Padecendo sede e fome, Tântalo não podia alcançar nem a água, nem os frutos. A partir dessa história, o autor diz que o desejo insatisfeito das crianças é um "tantálico suplício". (N. E.)

sem músculos, tinham a imobilidade de coiro curtido. Quando contrariados ou afastados pelos mercadores aos empuxões e pontapés, rugiam e mostravam os dentes roídos de escorbuto. Eram órfãos quase todos, ou abandonados pelos pais; não sabiam os próprios nomes, nem donde vinham. Privados de memória, bestificados pela carência de carinhos, anestesiados pelo contínuo sofrer, eram esses pequeninos mendigos gravetos de uma floresta morta, despedaçados pelos vendavais, destroços de famílias, dispersadas pela ruptura de todos os laços de interesses e afetos.

Às vezes, a morte os surpreendia durante o sono, junto de um tronco ou na soleira de uma porta. Trespassavam como pássaros, sem contorções, sem estertor, sem um gemido, silenciosos, tranqüilos, num sossego de morte, num sossego de liberdade.

Luzia atravessou, rapidamente, o largo da feira, evitando o contacto e desviando os olhos dos grupos de mendigos nauseabundos, pois se ainda não habituara ao pungente espetáculo da miséria ínfima, degradada e feroz. Empolgada pela comoção da entrevista com Alexandre, pelas palavras de conforto da sua adorável protetora, rememorando o que esta lhe dissera sobre o amor e o ciúme, quase esbarrou em Crapiúna, que a saudou cortês; e, bamboleando em ademanes amáveis, arriscou:

— Adeus, feitiço...

A moça estremeceu de susto, fez um gesto de cólera, e seguiu mais depressa.

— Você não tirou ainda o juízo da Luzia-Homem? — perguntou a Crapiúna o Cabecinha, que fazia com ele, o serviço de policiar a feira.

— Qual o quê!... — respondeu o soldado, carregando a caraça, muito despeitado — Aquilo é uma fera, braba como cascavel; mas hei de amansá-la por bem ou por mal...

— Aquela mesma não cai com duas razões...

— Há de ser como as outras: muita soberba, muito luxo... tudo bobages. A demora é a gente teimar e esperar com paciência. Já lhe teria dado uma ensinadela se o estupor do Delegado não estivesse atravessado comigo...

— Eu acho que você faz mal em se meter com a vida daquela mulher...

— Já agora é impossível recuar. Por causa daquela *não-sei-que--diga* tenho perdido noites de sono, maginando na raiva que ela tem de mim, só porque me engracei dela...

— Só faltava dar o Crapiúna, em namorado sem ventura.

— Não caçoe, Cabecinha. Há mulheres mandingueiras, que põem na gente um veneno que só elas podem tirar. Fica-se tomado por dentro de uma dor que não dói, mas sofre-se sem saber porquê; não se tem onde botar o corpo; não há cama nem rede, que caiba a gente; finge-se não fazer caso; procura-se distrair com outras mulheres, como quem se embebeda para ficar valente, ou para esquecer... Tudo peta... O veneno vai queimando o sangue, faz febre, dor de cabeça e fastio. E o coração vai inchando, crescendo, até que estoira...

— Você, então, cabra velho, está mesmo ervado?... Tibes! Que cobra te mordeu!...

— Não tenho a vida para negócio; nem conheço a cor do medo; nunca fiz caso da morte, e queria ter de anjos para acompanharem a minha alma, as vezes que tenho visto boca de bacamarte e faca de ponta em cima de mim... mas, fico mesmo mole diante dessa mulher encantada; fico sem ação e aluado, quando ela passa por mim, e me repuna...

— O melhor, já lhe disse, seu Crapiúna, é pensar noutra coisa.

— Isso é bom de dizer... Nem que queira não posso. É uma desgraça. A você, que é amigo, posso falar a verdade. Tenho feito tudo para reduzi-la. Lembrei-me até de botar dormideira na jarra d'água...

— E se ficar doente; se morrer?!

— Não há perigo. A Joana Cangati sabe fazer a mandinga. Mas o diabo da velha Zefinha não dorme; passa a noite tossindo e gemendo; e, agora, havia a Teresinha de se meter de gorra com elas para me atrapalhar. Tem-me dado vontade de torcer o pescoço daquela galinha...

— Você está se metendo numa rascada...

— Saberei manobrar para me desapertar, quando for preciso. Agora, estou esperando que ela se desengane do ladrão do Alexandre...

— Qual! Mulher, quando principia a querer bem, fica viciada: larga um, arranja outro.

— Aquela não é dessas. Luzia é séria...

— Ora, adeus, seu Crapiúna. Quando dorme...

— E honrada...

— Só se for na testa.

— Já lhe disse.

— Está bom; está bom!... Não vale se zangar por tão pouco. Nada tenho com isso. Você mesmo é quem está puxando conversa... Arrume-se com a sua donzela, ruim de amansar, e seja muito feliz. Faça-lhe bom proveito aquela jóia.

— Também maldei que aquilo tudo era soberba, luxo ou aleijão da natureza, mas entrei a especular a vida, os particulares dela, e verifiquei que é mesmo dura como pedra. Quanto mais certeza tenho de ser ela bem procedida, mais o diacho da rapariga se me encravilha na cabeça. Eu não gosto de mulher que me azucrine, mas também refugar como aquela é da gente desesperar.

— Por que não lhe prometes casamento?

— Se ela não me quer ver nem pintado... Além disso, por mal dos meus pecados, sou casado.

— E a mulher?...

— Sei lá. Não combinava com o meu gênio, nem pegava do meu jeito... Era um demônio em figura de gente, rezinguenta e respondona. Um dia, brigamos mesmo de verdade: dei-lhe uns pescoções, e o diabinho anoiteceu e não amanheceu. Levantei as mãos para o céu. Boi solto, lambe-se todo...

— Por essas e outras, é que nunca fiz semelhante asneira. Para peso, basta a granadeira e a mochila.

— Deixe lá... Sempre é bom ter quem pregue botões na farda, engome as calças, a tempo e à hora.

— Se contas com aquela, ficas desabotoado toda a vida. Tome o meu conselho, seu Crapiúna. Quem me avisa, meu amigo é. Deixe a Luzia de mão. Olhe que lhe acontece desgraça, quando menos pensar. Você tem sangue na guelra e o coração perto da goela. Tome cuidado.

— Sei o que hei de fazer, e ando de rédeas tesas. Quando a vejo, ardo por dentro; dá-me vontade de reinar, mas fico quieto e mudo como cascavel de tocaia, esperando a minha vez para dar bote certo. Então nem reza de cigano, nem oração de padre velho a livra de mim. Eu cá sou homem de tenência. Quando viro a cabeça para uma banda, nem o diabo a endireita...

Crapiúna sacou da ilharga uma grande faca, fina e pontiaguda, e pôs-se a cortar um pedaço de fumo mapinguim para fazer um cigarro.

— Que bonita faca! — observou Cabecinha.

— *Pasmado* verdadeiro. Traspassa uma moeda de dois vinténs — disse Crapiúna, fazendo vibrar com a unha o gume afiado. — Ah! se este ferro falasse!...

— Vamos ali, ao Antônio Benvindo, tomar uma terça?

— Vamos lá, mas só tomo zinebra.

— Está feito.

Os dois soldados se dirigiram para a bodega, continuando a conversar.

O sol dardejava, a pino, intensa luz sobre o largo da feira, coalhado de gente. Rodomoinhos intermitentes revolviam o pó cálido, que se elevava em espirais, envolvendo retirantes e mercadores em bulcões amarelados e sufocantes.

XVI

DESDE esse dia, cessaram as visitas de Luzia à cadeia. Teresinha tomou a si, com prazer, a piedosa incumbência de levar comida ao prisioneiro, que a recusou tenazmente.

— Deixe-se de asneiras, seu Alexandre — disse-lhe ela — Isto até parece desfeita. A Luzia não vem afetiva como dantes, porque não pode mais faltar ao serviço; e, agora, que a tia Zefinha vai melhor, não há mais desculpa para estar recebendo a ração sem trabalhar. Poderia vir à tarde, mas você sabe que, depois das quatro horas, não deixam mais falar com os presos.

— Não me iludo — respondeu-lhe o moço, em tom de funda tristeza — Luzia desconfiou de mim. Acreditou, talvez, na história da Gabrina, ou supõe que tenho alguma coisa com aquela grande mal-agradecida.

— Não suponha que ela esteja amuada... Qual o quê!... Aquela não se afoga em poucas águas, e a prova é que continua a fazer o possível para obter a sua soltura...

— Sei; mas somente para mostrar agradecimento e não por merecimento meu. Sinto que está tudo acabado entre nós. Luzia é decidida, e bem percebi que não tinha mais nada que esperar quando me disse, francamente, aí, nesse lugar em que você está agora:

— quando for solto, cada um de nós tomará o seu rumo.

— Mas, por isso, não deve recusar o de-comer, que ela mesma preparou com tanto gosto.

— Não há mais razão para repartir comigo a porção, que mal chega para ela e a mãe.

— Pensei que só nós, mulheres, éramos caprichosas.

Desenganada de vencer a formal recusa de Alexandre, Teresinha distribuiu a comida pelos meninos, que estavam ali de visita aos pais presos, generosidade que lhe valeu agradecimentos de uns e de outros.

Luzia voltara, com efeito, a trabalhar na penitenciária do morro do Curral do Açougue.

As paredes mestras estavam quase concluídas: trabalhava-se com afinco no madeiramento da coberta, e já estava em construção a muralha em volta do edifício, formando um recinto, onde os sentenciados pudessem trabalhar ao ar livre, ou sob telheiros destinados às oficinas. Nas barracas improvisadas moirejavam carpinteiros, de troncos nus e suarentos, no preparo das grandes vigas das amendoeiras e tacaniças do tabuado para o soalho e portas e da obra de esquadria. Ao ruído das enxós, falquejando o rijo pau-d'arco, ao sibilar das plainas e cepilhos raspando das pranchas de cedro, longas espirais encaracoladas e cheirosas, misturavam-se a dos malhos nas bigornas sonoras, onde grossos vergalhões de ferro, candentes nas extremidades, disparavam chispas de encontro aos aventais de coiro dos ferreiros, enegrecidos de fumaça e carvão, fabricando grades invencíveis, junto dos grandes foles ofegantes, como pulmões de um monstro.

A negra torrente de retirantes operários deslizava pela encosta áspera, em marcha de cobra, conduzindo materiais. Era o mesmo vai e vem ininterrupto de homens, mulheres e crianças envoltos em rolos de pó subtil, magros e andrajosos, insensíveis à fadiga, ao calor de fulminar passarinhos, taciturnos uns, os semblantes deformados por traços denunciadores de íntima revolta impotente; outros, resignados, como heróis, vencidos pela fatalidade; muitos, alegres e sorridentes, cantavam e brincavam, como criaturas felizes de encontrarem refúgio do assédio angustioso da fome, da miséria, da morte.

Quando Luzia se apresentou ao apontador, houve um movimento geral de surpresa e curiosidade. Ninguém a esperava ver de novo; era considerado morto ou emigrado o trabalhador que desaparecia da obra. Notavam que estava mais esbelta, graciosa, a cor mais clara pelo repouso de alguns dias. Havia misteriosa alteração no seu semblante. As vigorosas linhas de energia máscula se contraíam em curvas melancólicas, e, nos olhos meigos, flutuava a sombra do ideal morto entre chispas fulvas de anelos incontentados. As atitudes lânguidas e os gestos lentos denunciavam fadiga moral, ou a preguiça voluptuosa das felinas amorosas. Dir-se-ia que se lhe haviam atenuado os tons varonis, e, da crisálida Luzia-Homem, surgira a mulher com a doçura e fragilidade encantadora do sexo em plena florescência suntuosa. Irradiavam dela fluidos de simpatia, empolgando os companheiros de infortúnio, como prestigiosa transfiguração. Estes não experimentavam já a repulsa que lhes causava a moça bisonha, arredia, taciturna, sempre enrolada no amplo lençol de mandapolão branco.

— Como está mudada! — murmuravam as mulheres.

— E não é que a Luzia está ficando bonita! — diziam os rapazes, mutuando olhares sensuais.

— Parece que esteve doente.

— Só se foi de mal de amores.

— Quem sabe? Amor não mata, mas maltrata.

— Qual, mulher! Aquilo é o cansaço de estar fazendo quarto à mãe, que estava vai-não-vai. Não há nada para escangalhar uma criatura como labutar com doentes...

— Ela é um tanto soberba, mas é boa filha até ali.

— Quem é bom filho, é bom em tudo o mais — observou um velho.

Os comentários chegavam aos ouvidos de Luzia, como ecos do murmúrio de maldição, que a perseguia por toda a parte, até na igreja, no trabalho, quando atravessava a multidão de retirantes.

E ela, que antes os afrontava em retraimentos de cólera mal contida, estremecia, agora, pálida e tímida, em angustioso sobressalto de consciência perturbada por inteira e desconhecida mácula, estranha sombra de homem projetando-se no vácuo, que a inocência lhe deixara no coração, como a pegada de um crime, ou o espectro de um remorso. Devia ser assim cruciante, o primeiro momento após o pecado: a alma escondida, envergonhada e temerosa, nos mais íntimos refolhos das entranhas profanadas, aguilhoadas pelos instintos insaciados, aguçados pelo gozo revelado, traída por eles, delatores impudicos e implacáveis. Através do corpo diáfano, penetrariam depois olhares da turba, compassivos ou rancorosos, devassando as peripécias e os destroços da secreta luta, e condenando a vítima, que não pudera vencer.

Luzia só se confessava culpada de haver perdido a energia inflexível, que a preservara até então, como invulnerável couraça, sem a qual não tinha já integridade moral para resistir a si mesma, varrer do coração essa indelével imagem de homem, libertar-se do tormento de senti-la transfundida no seu ser, misturada com o seu sangue e os seus pensamentos. Ímpetos de rebeldia, assomos de reação esmoreciam na delícia de capitular, e sucumbir aniquilada. E se lhe figurava que toda a gente em derredor, amigos, indiferentes, adversários maliciosos, grandes e pequenos, testemunhavam os seus impotentes esforços, de passarinho fascinado pela cobra, a luta desigual, o prazer com que ela se deixava vencer, apoucada e débil.

O administrador da obra, seu protetor, percebera a transformação por que passara, designando-a para trabalhar com as costureiras.

— Sabe, Luzia — disse-lhe ele — A senhora do Promotor pediu-me que não lhe desse serviços braçais. Ela se interessa muito por você, como eu, como todos que a conhecem. Era também intenção minha deixá-la repousar. Está-se vendo quanto a fatigaram os cuidados, os vexames sofridos pela saúde de sua mãe.

Luzia baixou os olhos, e corou humilhada. Preferira à ocupação sedentária de costureira, continuar na faina de carregar água nos grandes potes, que estavam servindo de depósito, conduzir telhas em companhia daqueles infelizes, que vergavam ao peso de uma dúzia delas, ir às caieiras longínquas buscar tijolos nas altas tulhas, que ao Paulo, francês, se haviam afigurado paredes na cabeça de uma mulher, rolar pesados madeiros, grandes pedras, trabalhos que lhe exercitassem os músculos e lhe produzissem o atordoamento da fadiga.

Acudiu-lhe, então, à memória, a quadra da infância, passada no Ipu, em casa da mestra que lhe ensinara ler; os *cocorotes* e castigos sofridos por não resistir ao sono, quando condenada a ficar dias inteiros sentada diante de uma almofada a trocar bilros crepitantes, entretecendo delicadas rendas e curtindo a nostalgia do ar livre e puro nos campos verdejantes e floridos da fazenda Ipueiras.

Mas... era forçoso submeter-se à ordem do administrador, tão bom e compassivo, que lhe dera muitos dias de licença para tratar a pobre mãe enferma.

Na maioria das barracas, em forma de meia-água, coberta de folhas de carnaubeira, Dona Inacinha, que, desde as missões do padre Ibiapina, renunciara os efêmeros gozos mundanos, para se fazer beata professa, distribuía o serviço de agulha em tarefas. A Luzia, coube um enrolado de algodãozinho, onde estava cravada uma agulha, atravessando um molho de linha e sustentando, subposto, um dedal de cobre.

— Cosam com muito cuidado — recomendou ela às costureiras — que isto é trabalho especial para a comissão de senhoras, que me mandou seis peças de fazenda para desmancharmos em roupa. Não quero obra de carregação como a dos sacos. Vejam que as mãos estejam bem lavadas, pois tenho singular implicância com a costura suja.

Luzia ocupou o primeiro lugar vago, distanciada das outras, surpreendidas com o vê-la ali, quando trabalhava sempre com os homens; enfiou a linha na agulha e estava muito atrapalhada com o adaptar e alinhavar peças já cortadas, quando Dona Inacinha se acercou, como sempre, enfezada e rabugenta.

— Você parece que nunca viu costura — rosnou, em tom de áspero remoque — Tamanha mulher, e não sabe por onde há de começar um par de ceroulas de homem.

Luzia sentiu subir-lhe ao rosto, impetuosa onda de sangue.

— Olhe — continuou a beata, armando sobre o nariz rubro e adunco, grandes óculos de latão com as hastes ligadas em torno da cabeça por um cadarço preto, lustroso de banha — primeiro as pernas pospontadas e sobrecosidas; depois o gavião em separado, terminando nesta tira que serve de cós. Você ajunta as duas pernas, cosendo-as no gavião com as preguinhas que forem necessárias para dar certo. No meu tempo, dava conta de duas por dia sem me cansar.

As companheiras de trabalho sorriam, ironicamente, da lição e do desazo de Luzia, confusa e amesquinhada, injustamente, porque sabia coser bem e depressa, mas não estava habituada a fazer roupas masculinas.

Aquela tarefa, escolhida ao acaso, era um prolongamento da obsessão que a torturava; avivava-lhe, a cada ponto da agulha, a lembrança do prisioneiro a pungir-lhe o coração com o remorso de o haver abandonado num ímpeto de despeito, ciúme ou capricho pueril que ela tentava em vão justificar com o pretexto de preservá-lo da influência funesta com que a marcava o destino. Causava-lhe, também, imenso dó o haver deixado, com desdém, no parapeito da grade da cadeia, os cravos vermelhos, emurchecidos nos seus cabelos, ao calor do seu seio, onde os guardara carinhosamente, como um talismã prestigioso.

E assim passou o dia, até que o martelo do mestre da obra anunciou a terminação do trabalho, batendo, rijo, cadenciados golpes secos, vibrantes, sobre uma das tábuas dos andaimes.

Luzia ergue-se aliviada, entregou a tarefa concluída, e partiu, ansiosa por ver a mãe e Teresinha, que lhe daria notícias de Alexandre, notícias más, porque ele devera ficar magoado, vendo-se tratado com tanto rigor por quem lhe devia, pelo menos, favores inestimáveis, desses que impõem o suave jugo de gratidão imperecível.

Justificando-se, ela ponderava que, em consciência, o reconhecimento não a obrigava ao extremo passo de consagrar-se para sempre a um homem preso, sob a imputação de um crime grave, envolto em densa atmosfera de suspeita, quando ela tinha outros deveres sagrados que cumprir, velar pela mãe e conservar a própria vida, ameaçada pelo assédio, cada vez mais apertada de privações e miséria. Estava pagando a dívida de gratidão com o empenho sincero em libertá-lo. Demais, não se expusera, todos os dias, ao vexame de encontrar o soldado maldito? não repartira com ele o seu pão minguado? não chegava ao extremo sacrifício de afrontar a vergonha de vender os cabelos por causa dele?

Não, a consciência não a acusava; mas outra vez, mais forte, vibrava dentro de seu peito, em acentos dolorosos, exprobando-lhe a covardia cruel de só haver abandonado o desditoso moço, quando, entre os dois, surgiu a figura odiada da mulher delatora, amante impudica, que apregoava a própria infâmia, carícias pagas com o produto do crime, e se vangloriava de haver provocado a ruína de um homem de bem. E a sinistra voz, que a vergastava, prosseguia em tom mais brando e carinhoso: Seja ele, embora, culpado; tenha sucumbido à tentação em momento de síncope do senso moral; ame outra menos digna; é um desgraçado, cuja sorte está ligada à tua por laços fatais, inquebrantáveis. O teu lugar seria junto dele, consorte do infortúnio, ajudando-o a carregar, o peso da sua falta, a arrastar a calceta[1], deprimente... porque o amas... Entretanto, Alexandre é inocente e sofre duplamente, porque lhe infringiste a tua desconfiança. Vai, mulher caprichosa e bárbara, prostra-te aos seus pés; unge-lhe as mãos impolutas com o bálsamo das tuas lágrimas, com os teus beijos de virgem, e pede-lhe perdão da tua fraqueza vil. Não lutes, debalde, contra o destino inexorável. Aquelas pobres flo-

---

[1] *calceta*: argola de ferro que era atada à perna do preso para lhe dificultar os movimentos e impedir sua fuga. (N. E.)

res murchas se radicaram no teu duro coração, como o cardo à rocha, e revivem enseivadas com o suor da tua angústia, coloridas com o teu sangue, envenenando-te com o filtro mágico e inebriante, que destila emanações de fragância suavíssima.

Luzia acelerou a marcha para chegar a casa, encontrar pessoas amigas e evitar a sugestão daquela voz íntima e eloqüente, que lhe derrubava todos os meios de defesa, engendrados para resistir ao secreto impulso, preservá-la da sorte de Teresinha, pranteando o homem cruel que a maltratava e relembrando, com saudade, a sua sensualidade, impetuosa e brutal como a dos toiros bravios; para ficar livre de eleger, oportunamente, aquele que deveria completá-la, que lhe abriria as portas do céu às aspirações de moça; ou o homem que ela empolgaria num atrevido lance poderoso, como o dos gaviões arrebatando a presa, conquistando-o vitoriosa.

No seu espírito inculto, essas idéias se chocavam em confusão, aterrando-a; sobre o tumulto, ardido fragor de peleja encarniçada, permanecia, dominando-o, inconfundível como um clangor de clarim, a sedutora, a máscula voz do demônio tentador...

XVII

O beco da Gangorra terminava na várzea, que o rio Acaracu inundava nas cheias, em um renque de casas velhas habitadas por michelas[1] e soldados do destacamento. Belota ocupava uma delas, paredes-meias com o quarto de Teresinha, que só ali aparecia, raramente, para mudar de roupa, ou, consoante ela dizia, vigiar os seus teréns, um baú tauxiado de pregos doirados, uma pequena mesa desconjuntada, o pote d'água e alguns objetos de cozinha.

À porta de Belota, quase ao escurecer, Romana, Joana Cangati e Maria Caiçara conversavam acocoradas e *cigarreando*, muito desenvoltas e palradeiras. Romana, sempre roliça, com os cabelos duros de pomada cheirosa, aljofrada de empolas de suor adiposo, a ponta do nariz curto e arrebitado, e mostrando os dentes pontiagudos, contava casos escandalosos, que as outras contestavam, ou ampliavam e comentavam com insinuações picantes e grosseiras, ou se espraiavam em mexericos triviais sobre a crônica da ralé. Joana Cangati, a mais séria das três, metida a rezas e bruxarias, desde que por uma praga, irrogada pela mãe, ficara com o útero escangalhado de um aborto, obra do demônio, porque a consciência não a acusava de haver feito por onde, dava-se certo recato e modos de mulher séria, muito temente a Deus. Maria Caiçara, bem conformada, galante rapariga, a qualquer graçola de Romana, despejava o riso em gargalhadas estrídulas.

— Então — dizia Romana — o tal Alexandre está cada vez mais embrulhado.

— Não sei — observa a Cangati — Quem havera de dizer?! Eu,

---

[1] *michelas*: prostitutas. Essa palavra vem do nome de uma francesa — Michelle — que ficou célebre em Lisboa. (N. E.)

meu Deus perdoai-me, não vi ele furtar; por isso não digo nada; mas há coisas que só pintadas pelo cão...

— Qual o quê! — continuou Romana — a Gabrina que o diga. Quando soube que ele estava todo babado pela Luzia-Homem, desembuchou e contou tudo...

— O que ciúme não fizer...

— E fez muito bem, sa Joaninha. Você, comparando mal, quer bem a um homem, tem confiança nele, nas suas promessas, se ele não lhe corresponde e atraiçoa, não tem mais obrigação de guardar fidelidade. Não é?... Não faltava mais que estar empatando a rapariga com outra de olho e já de casamento tratado. Iam embora juntos e, muito que bem: a Gabrina que ficasse com os beijos com que mamou ou com cara de besta...

— Pois eu — atalhou a Caiçara — só quero quem me quer. Entojou de mim?... Melhor!... Homens não faltam.

— É porque você, mulher, nunca teve paixão de fazer a gente perder noites de sono...

— Paixão é bobage, sa Joana...

— Então você não sabe que a Gabrina queria bem ao Alexandre, calada, sem dar demonstração. Andava atrás dele bebendo ares; ficava horas esquecidas na porta do armazém da Comissão, olhando pra ele com olhos melados de piedade que parecia quererem engolir vivo o moço?...

— Histórias...

— É o que lhe digo, por esta luz. Deus dê muitos anos de vida a quem ela pediu uma oração forte, a do "Santo Amâncio te amanse", para amolgar coração de homem ingrato[1].

— E aquela bestalhona acredita na virtude dessas bruxarias?

— Bruxarias?!... Bata na boca, Romana, para não ser castigada. Com santo não se faz mangação.

E a Cangati entrou a contar casos assombrosos, que não conseguiram dominar o cepticismo de Romana.

— Mas — ponderou Caiçara — se ela estava mesmo caída pelo Alexandre, como é que foi contar a história do dinheiro e dos cortes de vestido dados por ele, e agora anda toda derrengada com o Crapiúna?

— Tudo por pique. Ciúme faz reinação do demônio, e torna uma pessoa boa malvada como uma cascavel. Depois ela e Crapiúna se entendem; sofrem do mesmo mal; andam os dois com o juízo entornado: ela pelo Alexandre, ele pela Luzia-Homem. Não sei como isso acabará. Talvez nalguma desgraça...

— Qual desgraça, qual nada. É uma coisa que se vê todos os dias. Desenganados, cada um vai para a sua banda cuidar em outra coisa... Amor desencontrado.

— É porque você não conhece o Crapiúna, nem a Gabrina. Ele é

---

[1] *oração forte... homem ingrato*: entre as crenças populares, até hoje, as "orações fortes" ocupam lugar de destaque. Em geral, são usadas para pedir ao santo ajuda para resolução de problemas financeiros, sentimentais e de saúde. A "Oração de Santo Amâncio", assim como a "Oração Utilíssima" e outras, é dada como escrita por Santo Agostinho. (N. E.)

o que se sabe, capaz de tudo, até de mandar gente desta para melhor; ela, uma bichinha teimosa como uma mosca, e ruinzinha que faz dó. Não se me dava de jurar que ela inventou aquela história para desgraçar Alexandre... Ronha não lhe falta.

— O quê?!...

— Cala-te boca... Não está mais aqui quem falou... Façam de conta que não ouviram nada.

— Você que diz isso, sa Joana, é porque sabe alguma coisa.

— Não sei nada. É uma cisma que tenho.

— Ela não tinha astúcia para inventar uma história tão bem contada, tão cheia de circunstâncias. Se não foi do furto, quem lhe deu dinheiro para comprar um par de brincos de ouro?

— Sei lá! Não quero esmiuçar a vida dela, nem a de ninguém; mas vocês não a conhecem, repito: é capaz de dizer que Deus não é Deus e não há ninguém mais manhosa debaixo daquela sonsidão de menina!

— O quê, sa Joana; você parece que inticou com a rapariga!

— É muito arrebitada e mal-ensinada; mas eu até gosto dela...

— Olhem quem está ali — exclamou Maria Caiçara, apontando para Teresinha, que abria a porta do quarto.

— Bons olhos a vejam — disse a Cangati, com modos amáveis. — Por isso é que a tarde está tão bonita!...

— Boas tardes — respondeu Teresinha, secamente.

— Por onde tem andado, que mal pergunto?

— Por aí mesmo... — tornou Teresinha, entrando para evitar bisbilhotices, e dar trela às três vadias, muito do seu conhecimento como catanas, que nada poupavam.

Belota mantinha tavolagem, freqüentada por parceiragem de ínfima condição e mal-afamada, Zé Zoião, Cândido da Bertolina, exímios artistas da vermelhinha, operosos contribuintes da estatística criminal e heróis de todos os distúrbios que agitavam a paz da cidade. Eles se encarregavam de atrair as vítimas: comboieiros e matutos ingênuos; e, depois, como viciosos de raça, repartiam, ao jogo, as quotas das extorsões.

Crapiúna era freqüentador assíduo, principalmente quando se jogava o monte, partida de sua predileção.

Os outros parceiros não se davam bem com ele, por ser muito *rezinguento*. Por qualquer pretexto, armava barulho e, muita vez, estivera a pique de fazer água suja, inconveniente aos créditos da casa.

Desde que tomara a peito quebrar o encanto de Luzia-Homem, andava-lhe a sorte arrevesada. Perseguia-o um *caiporismo* incessante, que o tornava ainda mais irritadiço e trêfego, principalmente quando Belota, chasqueando, insinuava que ele estava contra o sentido do rifão, sendo infeliz no jogo e no amor, e atribuía as perdas consideráveis, que ele sofria, ao fato de andar com o juízo passeando, em vez de fixá-lo nas cartas ensebadas e sujas do baralho, recurvado em forma de telha pela pressão do partir, repetindo-lhe a cada *pexotada*, que jogador não guarda cabras.

Nessa tarde, o jogo fervia lá dentro, e as três mulheres continuavam a grasnar, aguardando as gorjetas dos afortunados, e fazendo de vigias para avisarem aos jogadores a aproximação do sargento Carneviva, que era um duende para os soldados. Em achando banca armada, podiam os viciosos contar com os mais severos castigos, o serviço dobrado com mochila às costas em ordem de marcha e sarilho, quando não eram esfregados com surra de espada de prancha, ou de cipó de raposa.

Crapiúna estava num dos seus piores dias. Perdera já quantia tão avultada, que os parceiros procuravam, surpreendidos, atinar onde *arranjara* ele tanto dinheiro. Os prejuízos montavam a vinte mil-réis, que haviam passado, suavemente, para os bolsos do Zoião e do Cândido, nos quais Crapiúna encarava desconfiado, atribuindo a batota, em que eram useiros e vezeiros, tamanha fortuna.

— O Senhor — disse-lhe Zoião, cravando-lhe, de esguelha, os grandes olhos esbugalhados — parece que está maldando de nós!

— Não estou maldando — resmungou Crapiúna — mas tanta sorte junta é de fazer a gente desconfiar...

— Pois se desconfia — avançou o Vicente, em jeitos arrogantes — o remédio é não jogar mais nós. Veja o seu Belota se se queixa...

Cândido, velhaco e pouco expansivo, não falava, exasperando com um sorriso irônico, o soldado infeliz.

— Não me queixo — observou Belota — porque estou com o juízo no jogo. Você, Crapiúna, não tem razão. Estou com um olho no padre e outro na missa, e não admitiria trapaça... principalmente em minha casa.

— Nem nós seríamos capazes de abusar... — acrescentaram, quase ao mesmo tempo, os outros parceiros, com uma vasta exibição de escrúpulo.

— Vocês são capazes de tudo! — tornou Crapiúna, irritado.

— Veja como fala!

— Tenho visto o que fazem com os matutos. Comigo fia mais fino... Se eu perceber qualquer tramóia...

Foi-se azedando a discussão até falarem todos, em tumulto, trocando injúrias e doestos, apesar da intervenção conciliadora de Belota, para evitar um conflito.

Teresinha, que fechara a porta da rua para mudar de roupa, foi atraída pelo rumor e não resistiu à curiosidade de saber donde provinha. Dirigiu-se, cautelosamente, ao pequeno quintal; e, firmando os pés nas fendas dos tijolos carcomidos, guindou-se acima do muro que dava para a casa vizinha. Daí descortinou a tumultuosa cena, a fúria de Crapiúna, as ameaças dirigidas aos parceiros venturosos, às réplicas destes, cheias de malícia irônica, audaciosos, porque, aliados como estavam, não se arreceavam do insolente soldado, nem eram homens que morressem de caretas, mesmo das mais pintadas.

Chegou o momento em que esteve iminente a conflagração. Vicente, sempre calmo, sempre sorridente, considerava, que tanto direito tinha Crapiúna de desconfiar deles quanto estes; entretanto não o faziam, porque não queriam cascavilhar na vida alheia.

— Para saber — atalhou o Cândido — onde você desenterrou botija para ter tanto dinheiro para perder.

— Olhe — acrescentou Zoião — se eu quisesse falar era capaz de o desgraçar...

Crapiúna estremeceu, e levou, de repente, a destra ao cabo da faca, escondida debaixo da farda.

— Pois fale, seu miserável — bradou ele, ganindo de raiva — que te hei de obrigar a morder a língua danada.

— Olha Zoião, meu amigo Crapiúna — implorava Belota, entre os dois. — Nós somos todos amigos velhos. Para que este baticum de boca... Daqui a nada ouvem lá fora... Pelo amor de Deus... Seu Candinho, você que é mais moderado tenha mão no Zoião, mais no Vicente...

— Pois então, seu Belota — ajuntou Zoião, com os olhos faiscantes — era o que faltava, um indivíduo...

— Depois digam que sou eu quem está intimando!...

— Que — continuou Zoião — não pode levantar a cabeça diante de homens de mãos limpas, querer ter voz altiva para insultar os outros!... Tenha mão nele, que é soldado como você e deve respeitar a farda...

Crapiúna rosnava, acovardado, como fera acuada, subjugado pela serenidade do adversário. Lívido, de olhar fulvo, ensangüentado, resmoneava surdas ameaças, e Zoião, com inquebrantável energia, continuava:

— Não pense que digo isto por estar em companhia e aqui na casa de Belota... Sou homem para o senhor em toda a parte, e como quiser. Se tem Pasmado, eu tenho Pajeú, ferro de qualidade que nunca me envergonhou... Se o seu já quebrou o preceito, o meu também não está em jejum...

— Pelo amor de Deus — suplicou o Belota, com lágrimas na voz — Basta!... Basta!... Está acabado por hoje, meus amiguinhos da minh'alma... Vocês parecem crianças...

— Olha, cabra, toma a bênção ao Belota...

Depois desta ameaça, Zoião deixou-se conduzir pelo Cândido, que chofrou esta pilhéria:

— Até mais ver, seu Crapiúna, quando quiser a desforra... Damos lambuje...

Teresinha, espiando ansiosa, por cima do muro, lamentava o desenlace pacífico da contenda.

— Você sempre arma cada rascada, seu Crapiúna — observou Belota, ainda agitado.

— Aquele homem é um precipício — murmurou o soldado — Se não fosse você... Deixe estar que os desaforos não caíram no chão...

— O melhor é você não fazer caso...

Belota, com maneiras manhosas de consumado velhaco, tinha enorme predomínio no camarada, que tanto era agressivo e rixoso, quanto cobarde, quando entestava um adversário considerável. Isto sucedera no caso da Quinotinha, a que o Alexandre defendera, com uma coragem evidente, bonita...

Depois de muitos conselhos e exortações, Belota pretextou necessidade de ir ao corpo da guarda, prometendo voltar sem demora.

Vendo que Crapiúna se dirigia para o quintal, Teresinha desceu, ligeiro, do posto de observação, e correu. Mal teve tempo de chegar à porta, atrás da qual se escondeu, trêmula de terror.

O soldado, destro como um gato, saltou por cima do muro, e dirigindo-se para o fundo, suspendeu um velho caixão, atulhado de coisas imprestáveis, tirou de sob o qual uma bolsa de coiro de onça, cheia de dinheiro.

Enquanto o soldado contava, umedecendo os dedos na língua, as notas miúdas, dilaceradas e sórdidas, Teresinha, no esconderijo, procurava, em vão, conter as pernas vacilantes, quase a vergarem. Pelos seus olhos espavoridos, passou a visão do responsório, em casa de Rosa Veado. Uma das sombras, aquela que, com esgares de louco, a arrebatava em volteios macabros pelo ar, em nuvens de fumaça sufocante, estava ali corporizada, bem nítida, contando o dinheiro furtado. O glorioso Santo Antônio operara o milagre. Por precaução criminosa, talvez para arriscá-la, Crapiúna escondera o furto, denunciá-la-ia mais tarde, e ela seria, como cúmplice de Alexandre, vítima de uma prova esmagadora.

Entre o terror de se achar a sós com o soldado em tão estreito espaço, ser por ele pressentida e descoberta, testemunhando o terrível segredo, e o prazer de haver colhido certeza da autoria do crime, Teresinha vacilava na resolução por tomar, sem se embaraçar nas malhas da rede, em que pretendia apanhar o criminoso. Teve ímpetos de gritar, de surpreendê-lo em flagrante, e arrastá-lo à presença do delegado. Isso, porém, seria perder-se, sacrificar-se, inutilmente, porque Crapiúna seria capaz de eliminá-la, estrangulá-la, sem piedade. Ela não poderia lutar, frágil como era e aberta dos peitos, contra um homem vigoroso e armado de uma faca hedionda, cujo cabo de chifre, incrustado de arabescos de oiro, surgia-lhe da ilharga. Ah! se tivesse os músculos de Luzia!

As pernas lhe tremiam, cada vez mais bambas; os dentes se chocavam com estalidos secos, toda ela tiritava inundada de suor gelado, que lhe empapava os cabelos na fronte, e lhe corria pelo dorso, como vermes pegajosos. A cabeça andava-lhe à roda; e, na visão perturbada, o soldado se afigurava desdobrado em outros iguais e pequeninos, que avançavam para ela com trejeitos de palhaços. A mísera debatia-se para fugir, implorar socorro, como na angústia de um pesadelo.

Os rápidos instantes que se ali demorara o soldado lhe pareceram infindáveis; e quando recobrou a posse de si mesma, saindo do esconderijo, pé ante pé, com meticulosas precauções, lívida, espavorida, viu que o quintal estava deserto. Nada denunciava a presença dele: o caixão estava no mesmo lugar, onde permanecia, havia muito tempo; não viu pegadas no chão, nem o mais leve vestígio.

E a bolsa?... Ela não ousava verificar se fora reposta onde a vira.

— Seria realidade ou sonho? — inquiria ela, procurando despertar a memória, fixar idéias e recompor o fato, em todas as suas minúcias — Teria, na verdade, visto Crapiúna transpor o muro, suspender o caixão e contar o dinheiro?...

Seria a revelação efeito da intervenção do Santo?...

Nessa dolorosa incerteza, esgotadas as forças, com os quadris doloridos, como se os houvesse traspassado a faca do soldado, marchou trôpega, para o interior do aposento, então quase escuro, e, subjugada de inelutável torpor, derreou-se na rede, armada a um canto.

Era quase noite. Não se ouvia mais o grazinar das três mulheres, que haviam partido para a delícia de um gozo, fariscando, numa insaciedade, a fortuna dos jogadores.

XVIII

O relógio da Matriz dava oito horas, quando Teresinha despertou sobressaltada, tomando pela claridade da aurora, o luar que se coava pelas frestas do telhado. Seu primeiro movimento foi para erguer-se, ir ter com Luzia, dar-lhe, como costumava, notícias de Alexandre, e contar-lhe a excelente novidade. Mas, o corpo enlanguescido de tão violentas comoções, do torpor do sono, recusou obedecer. Ela permaneceu encastoada na rede, encadeando idéias dispersas, e fixando bem, na memória, o episódio que duvidava ainda fosse sonho, ou realidade. Por fim, assaltou-a o medo de estar só na penumbra do quarto, povoado de fantasmas, rumores suspeitos que se lhe figuravam passos de homem aproximando-se, hálitos ansiosos, como a sua própria respiração ofegante.

Com esforço voluntarioso ergueu-se, espreguiçou-se para distender as articulações entorpecidas, e abriu, de manso, a porta.

O beco estava deserto, banhado de luz intensa, suavemente argentina. Na casa fronteira, alumiada pela froixa luz de uma vela de carnaúba, chorava, em magoados vagidos, uma criança enferma, acalentada pela mãe, que murmurava monótonas cantigas, cortadas de suspiros. Era a angústia do coração a estoirar de pranto.

Teresinha espreitou todos os lados; fechou a porta sem estrépito, e partiu, dirigindo-se para a várzea, por uma estreita senda, cavada no solo, ladeada de cisqueiros, farejados, afocinhados de cães magros e murchos, que se esgueiravam desconfiados. Ela passou, depois, cosida aos altos muros do fundo dos quintais, até chegar à encruzilhada das ruas, cheias de escravos, retirantes, gente suja, gente esquálida, carregando potes d'água, colhida nas cacimbas abertas na areia do rio, a conversar, rezingando, em voz alta, com rasgadas desenvolturas de chufas, de arregaços obscenos, com risos estridentes de malícia.

Ao chegar à rua, suspirou libertada do pavor aflitivo; e, outra vez, gozando uma doce serenidade d'ânimo, seguiu na direção da igreja do Rosário, relembrando os incidentes daquela tarde, a cena do jogo, a cobardia no esconderijo, e o terror que lhe não permitia verificar se Crapiúna deixara a bolsa de coiro de onça debaixo do caixão. Em todo caso, estava satisfeita com o haver logrado a certeza do verdadeiro criminoso, indicado pelo infalível, pelo glorioso Santo Antônio[1],e a convicção de concorrer para a libertação de Alexandre e a felicidade inteira de Luzia. E reputava-se engrandecida por essa boa ação, renovada do passado de culpas, de crimes talvez,

---

[1] *Santo Antônio*: Além de sua fama de casamenteiro, Santo Antônio é também invocado para achar coisas perdidas ou para esclarecer mistérios. (N. E.)

dos quais fora responsável inconsciente, e, sobretudo, a principal vítima. Entidade diminuída e inútil, flutuando sobre uma suja torrente de vícios incontinentes, sentia-se valorizada, sentia-se forte e sentia-se prestante. Duas criaturas, pelo menos, neste mundo de ingratidão, de perfídia e de miseria, seriam reconhecidas à sua dedicação.

Enlevada no doce conforto do beco, Teresinha foi subindo a rua do Rosário até ao largo. Em redor do Cruzeiro, erguido defronte da igreja, sobre um sólido pedestal de alvenaria, crentes, ajoelhados, rezavam padre-nossos, ave-marias e o terço, murmurado, nuns tons soturnos de devota cadência.

Do piedoso burburinho, sobressaía a voz de Dona Inacinha, ao recitar, com solenidade de padre, o *gloria-patris*[1], respondido pelos fiéis, numa algaravia, um mistifório de latim e português: — *Os que perderem em princípio, agora im sempre por todos os séculos, seculoro. Amém, Jesus.*

A moça prostrou-se, comovida, abeirando-se do grupo, pouco e pouco engrossado pelos transeuntes, de uma reverência grave, na maioria mulheres, de alvos mantos, a espelharem ao luar, claro como o dia. Havia muito, seus lábios se não entreabriam à florescência da prece consoladora, nem despertava, aos eflúvios puríssimos da fé, sua alma agrilhoada ao pecado. Dos hábitos piedosos da infância, apenas conservava o de persignar-se antes de dormir, antes de tomar banho. Não se recordava da última vez que rezara, a não ser a oração sacrílega em casa da Rosa Veado.

Terminados os mistérios do terço, Dona Inacinha entoou, com pompa, numa voz fanhosa e áspera, o canto de contrição. — "Oh! Senhor Deus bem-amado...", acompanhado por todos os devotos, com uma dissonância aparatosa, irremediável. Aos derradeiros versículos, houve uma contrita, houve uma longa pausa. Recolheram-se todos com Deus, curvados e humildes, preparando-se para o solene epílogo do ato religioso, a súplica comovente de misericórdia. Quando esta ecoou, entoada pela beata, em acentos plangentes, as pessoas, afastadas da igreja, reunidas em roda, na calçada, tanto que ouviam a súplica, ajoelhavam e batiam também nos peitos, repetindo, em leve, em sentido balbucio, a invocação à misericórdia divina. Teresinha curvou-se, compungida, e pediu a Deus, sinceramente, perdão dos seus pecados.

Ergueram-se os devotos, como um rebanho de ovelhas, espantado na malhada noturna, e debandaram em todas as direções, depois de beijarem o pedestal da grande cruz negra, que o luar destacava, com melancólicos fulgores.

Ao toque de nove horas, desmancharam-se as rodas de confabulação amistosa; trocaram-se saudações habituais e arrastaram-se as cadeiras para o interior das casas, cujas portas se fechavam com estrépito.

---

[1] *gloria-patris*: essa expressão latina inicia uma oração católica que glorifica a Trindade: *Gloria Patri, et Filio*..., isto é, "Glória ao Pai, ao Filho, ..." Até alguns anos atrás, era costume da Igreja Romana dizer suas preces em latim. O povo, porém, recitava o latim como podia, muitas vezes transformando as palavras de maneira absurda. (N. E.)

Naquele tempo, terminavam a tal hora, com exceção das raras casas da fidalguia da terra, as visitas, fossem de cerimônia, fossem íntimas. É considerável esta nota.

Luzia passeava, impaciente, sob a latada, cujas palhas, muito secas, farfalhavam ao violento embate das rajadas tépidas.

— Que horas são estas?! — exclamou, avistando Teresinha.

— Fui ao meu quarto — respondeu esta — mudar a roupa e peguei no sono...

— Pensei que te havia acontecido desgraça... Tardaste tanto... Estava num pé e noutro ansiosa... E... Alexandre?...

— Na mesma. Poucas palavras e muito sucumbido... Mete dó vê-lo, coitado!

— Perguntou por mim?

— Não. Eu é que falei de você. Disse-me que não lhe podia pagar o que tem feito por ele; entrou a repetir que já está desesperado... Sempre a mesma ladainha.

— Tem razão. Há quase um mês que padece...

— Deixe estar que, mais dias, menos dias, se descobre a verdade. Deus há de permitir que isso seja breve, talvez amanhã...

— Amanhã?!... Dessa esperança estou farta.

— Não desespere, Luzia. Quem espera sempre alcança. Você nem pode adivinhar o que vai acontecer.

— Sabe, então, alguma novidade?...

— Não. É um palpite.

— Um palpite à-toa?...

— Lembra-se, Luzia da minha alma, lembra-se do responsio?

— Sim. E depois?...

— Não lhe dizia eu que tinha fé no milagre? Pois é por ter fé que prevejo a próxima libertação de Alexandre. Diz-me o coração que ele está ali e está na rua. Ainda há instantinho rezei o terço no cruzeiro do Rosário, e uma voz interior dizia-me, com segurança: Deus tarda, mas não falha...

— Então ele nem perguntou por mim!?

Luzia prescrutava, com olhares insistentes, o pensamento de Teresinha, suspeitando que ela lhe ocultasse a verdade, ou que soubesse algo que, por compaixão, lhe não queria revelar. Essa reserva mental devera influir naquele ar de mistério, velado de ironia, palavras vagas, em completa discordância do gênio expansivo e alegre da rapariga, uma deleitosa criatura sem aspirações, resignada ao seu quinhão minguado da partilha das coisas boas deste mundo, feita pela Providência. Entretanto, ela testemunhava, com funda mágoa, a ansiedade, o desconcerto de Luzia.

Esteve a pique de revelar-lhe o descobrimento do dinheiro; mas, por um justo egoísmo, desejava reservar para si, exclusivamente, a caridosa iniciativa da libertação do prisioneiro, se bem que não houvesse ainda atinado como tirar partido do que vira, ou tornar valioso o seu testemunho único, porque não ousara verificar se a bolsa ficara no lugar onde Crapiúna a escondera.

Era por medo, por cobardia indesculpável que se não houvera assegurado dessa circunstância importante, ela que tinha afrontado perigos e estava calejada de suportar as vicissitudes da vida? E se ele houvesse tirado o dinheiro? Tornar-se-iam inúteis o descobrimento, o tormento daqueles angustiados, daqueles inolvidáveis instantes, porque nada valeriam as suas afirmações.

Seria possível que assim se desvanecessem as esperanças da iminente vitória da verdade à calúnia, urdida contra o pobre moço!...

Luzia por sua vez, meditava, com os claros olhos fitos na clara lua, a librar-se no céu, de um fino e doce azul. Seu pensamento adejava em redor de Alexandre, que, indiferente, não perguntara por ela, merecedora do castigo desse desdém, e rendida à voz diabólica que, das entranhas, lhe bradava, com insistência lancinante: "és culpada pelo teu excessivo amor-próprio, pela tua soberba!..."

Seguia-se a revolta, com assomos fanfarrões de defesa inconsistente, fútil.

— Não quer saber de mim? — pensava ela — Melhor. Fosse eu outra, faria o mesmo. Deixá-lo-ia entregue à sua sorte, desobrigando-me de tamanha canseira, pois muito tenho feito para demonstrar-lhe a minha gratidão. Talvez isso lhe conviesse para desembaraçar-se do compromisso de ligar à sua vida, uma mulher pobre com a mãe doente, duas bocas a reclamarem de comer, neste tempo de carestia, e maior soma de trabalho. Seria uma loucura pensar em casamento em semelhante crise. Ele, sozinho, poderia suportar privações, vencê-las ou sucumbir consolado de não fazer falta a ninguém, como defunto sem choro...

E Gabrina?... — Não iria esta ou outra igual ocupar, no coração vazio, o lugar que Luzia abandonara? Não procuraria ele, na triste conjunção do naufrágio das suas esperanças, uma afeição que o consolasse, um refúgio carinhoso, embora impuro de lascívia, onde se abrigasse para espairecer, como quem se intoxica de bebidas capitosas para curar dissabores, ou se afoga na vasa infecta de um pântano?

Seria horrível. E Luzia estremecia, sob um pavor, como se fora ameaçada do espólio de um bem inestimável, de coisa a que tinha direito sagrado, coisa que ela criara, e à qual transmitira parte da sua alma, planta que tratara com desvelado carinho, regada com o suor das suas aflições e o orvalho das suas lágrimas, ameaçada de ser desarraigada por mão criminosa, quando lhe desabrochavam, pujantes de viço, coloridas e perfumosas, as primeiras flores. Não tinha energias varonis, músculos poderosos para defender o seu bem querido, e esmagar o espoliador!?... Não tinha o indeclinável dever de lutar pelo que era seu, e constituía, já, elemento essencial da sua existência, como se defendesse a própria vida, o patrimônio inexaurível dos tesoiros do coração, o precioso quinhão da inefável ventura que, neste mundo, só no amor se encontra?

Como puas lancinantes, esse egoísmo, que é a suma de todos os instintos da espécie, tanto mais veementes e indomáveis quanto menos culto é o espírito da mulher, não contaminada de pecado, na exuberante razão do organismo sadio, assanhava-lhe as iras, a lhe morderem como cobras, o coração, que lhe projetava nas veias uma torrente abrasada de ódio a Gabrina, a todas as mulheres que lhe disputassem a presa adorada, contra si mesma, que o abandonara, contra as coisas que a cercavam, testemunhando o seu penar, contra aquele astro radiante a iluminar a luta travada no âmbito escuro da sua alma, como lâmpada tristonha a revelar o monstro de paixão acuado na caverna das entranhas, latejantes de desejos...

Passava-lhe, então, pela mente alucinada, a torva idéia de vingar-se, rebaixando-se, de poluir-se, de atolar-se no charco da lascívia, saciando-se até à embriaguez, ao primeiro encontro, fora embora cúmplice do imundo crime, o mais hediondo dos homens. Crapiúna, outro qualquer, ainda mais vil e detestável, contanto que a sua depravação, com requintes de despejo, fizesse sofrer Alexandre, o desalmado, o frio homem, que não perguntara por ela, a Teresinha.

E a voz diabólica, vibrando em místicas melodias, de um tom angélico, e dominando o tumulto da sua alma atribulada, repetia: "Por que te golpeias assim? por que te maceras nessa luta mortificante e estéril, frágil criatura?...

Vai; curva-te, como escrava, aos pés do ente adorado, beija-lhe as mãos, unge-as com o bálsamo do teu pranto, porque o amas..." Uma exortação de alto romantismo, a dessa voz de anjo e diabo...

Despertou-a do cismar torturante, a voz de Teresinha:

— Que bonito luar, Luzia. Dá vontade à gente de passar a noite em claro. Como está bem visível! São Jorge e o cavalo empinado. Dizia-me um tapuio velho da Serra Grande que a lua protege a quem quer bem. Quando uma tapuia gentia tinha saudades do marido ausente, olhava para ela, e lá lhe aparecia o retrato da criatura querida, ou nela casavam, conduzidas pelos olhares, as almas do par, separado por léguas de distância.

Luzia, maquinalmente, olhou para a lua a navegar serena no céu nítido, e pensou que, àquele momento, Alexandre também a contemplava, triste e só, por entre as grades do cárcere infecto.

— A lua — continuou Teresinha, com melancolia — leva recados e juras dos noivos, e amolece o corpo da gente. E o tapuio dizia que ela era mãe da terra, das coisas e das criaturas vivas; protegia as plantações, mandando chuva e orvàlho, aquecia os ninhos chocos, dava cheiro às flores em botão e cio aos animais. Também tirava o juízo à gente, quando se zangava... Ah! que saudades me faz o luar! Foi por uma noite destas, que conheci o Cazuza pela primeira vez... Ai, ai... Deus... meu pai...

E ela se esticava, num grande bocejo de volúpia, deitada sobre a esteira, desalinhadas, pelo vento, as roupas leves, os olhos quase cerrados à imortal saudade do primeiro amor, sempre vivo no inquieto coração devastado.

— Tomara que já amanheça — continuou, bocejando — Como custa a passar a noite!... Em que está você tão embebida, Luzia?

— Eu!... Estou maginando na minha triste vida...

— Arre lá com tanto disfarce! Você, minha negra, não se abre comigo. Estava, mas era longe daqui, rezando à lua como as tapuias.

— Você tem coisas, Teresinha!?...

— Não chorei na barriga da minha mãe, mas adivinho. Por que não diz logo que está com o juízo em Alexandre?

— Como hei de pensar em quem não faz caso de mim!... Nem perguntou a você, por mim...

— Não perguntou por quê?... Porque você, por pique, não foi

mais à cadeia. Você é caprichosa, ele também... Mas não se me dava de apostar como ambos e dois es'ão arrependidos...

— Acha, então, que depois do que houve, eu deveria entreter uma... coisa sem fundamento, sem esperança?

— Qual o quê! A gente faz de um argueiro um cavaleiro, fica amuada, jura por quantos santos, faz finca-pé... É o mesmo que nada. Quem quer bem não tem vergonha. Eu, ralada neste mundo, que o diga.

— E a história da Gabrina?

— Mentira, tudo mentira. Não duvido que ela levantasse, com aquela cara de santa, toda denguices e inocências, o falso testemunho. É uma rapariga bem-parecida, bem feita de corpo, mas tem a alma deste tamanhinho. A Chica Seridó tem comido candeias, desde que tomou conta dela. É capaz de tudo, meu Deus perdoai-me. Não duvido que tenha feito esse malefício por ciúme...

— Por ciúme?...

— Pensa que todos os homens se babam por ela, e, como Alexandre não lhe deu trela...

— Demais, que tenho eu com isso? Tanto se me dá que ela goste dele, como que não goste. Só me empenho para ele ser livre O mais... está acabado...

— Que soberbia, Luzia! Você ainda é castigada.

— Por quê? Se não faço mal a ninguém...

— Deixe estar. Quem for vivo verá... Não há mal que sempre dure... Amanhã!... Ah! miserável; tenho aqui o fio da meada!

Teresinha, como se falasse a um ente miserável, estendeu, com ar triunfante, o punho cerrado.

— Bem dizia eu — exclamou Luzia — que você sabe alguma coisa...

— Ora se sei... Vai ver... Amanhã, se Deus quiser... Não; o melhor é não dar à língua... Espere...

E Teresinha, muito lenta, muito lânguida, entrou a murmurar, baixinho, com uma ternura tiritante, uma canção, da qual Luzia distinguiu bem esta quadra:

> A traição, meu bem, ature:
> Diga que é cega e não sabe,
> Não há mal que sempre dure,
> Nem bem que nunca se acabe...

XIX

TERESINHA voltou, no dia seguinte, ao beco da Gangorra, à hora da revista, quando os soldados estavam reunidos no quartel, estabelecido em uma velha casa fronteira à cadeia. No sobressalto de quem se esconde, esgueirando-se para evitar a curiosidade da vizinhança, entrou no quarto, e se fechou por dentro. O silêncio aumentava-lhe o susto. Foi preciso repoisar para adquirir coragem.

A porta, que dava para o quintal, estava entreaberta, como ficara na véspera. O caixão velho lá estava, regurgitando de traços, lavado de luz intensa, um contraste da penumbra do aposento, sem o menor sinal de haver sido desviado, ou da presença de ser humano naquele sítio.

Com o peito ofegante, pálida de aflição, o ouvido atento ao menor ruído, a moça ajoelhou, e, com um esforço sobreposse, ergueu um dos ângulos do caixão, muito pesado, muito cheio; e, sustentando-o de encontro ao ombro, fendeu com mão trêmula, o espaço entre o fundo e o chão. Seus dedos crispados experimentaram repugnante contacto. Retirou, rapidamente, a mão, como se a houvesse passado pela polpa ascorosa de um réptil. Um calefrio varou-lhe os membros, as forças abandonaram-na, e o caixão caiu, percutindo o solo com um som cavo.

Transida de pavor, ela esperou alguns momentos, imóvel e atenta, sempre de joelhos, apoiada ao muro. Recobrado o ânimo limpou com a fímbria da saia o copioso suor que lhe inundava o rosto, respirou agoniada, como se lhe faltasse ar; abanou-se com o vestido, movendo de um para outro lado a cabeça, quase desfalecida. A bolsa de Crapiúna estava ali. Não havia dúvida; ela havia sentido o contacto eletrizante dos pêlos do coiro de onça. Aguilhoada pela curiosidade de examinar-lhe o conteúdo, não ousou de fazê-lo: seus músculos flácidos e fatigados não poderiam repetir a exploração. Além disso, começou a sentir a dolorosa junção inguinal e o aperto do peito, que a acometia toda vez que era assaltada por fortes abalos.

— Ah!... Se eu fosse mulher de talento, como Luzia — murmurou, desalentada, erguendo-se a custo.

Certa da permanência da prova do crime, restava escolher meio de utilizá-la. Seria necessário surpreender Crapiúna ali, quando voltasse em busca de dinheiro e obter o auxílio de um homem bravo e forte, capaz de entestar com o soldado, prendê-lo e conduzi-lo à presença da autoridade. Lembrou-se de Raulino Uchoa que era vigoroso e arrojado, quando menos pela brava fascinação das histórias que contava da vida aventurosa. Era, demais disso, amigo de Alexandre e devotado a Luzia, que o salvara dos chifres do toiro sanhudo. Era, porém, indispensável que ela e ele ficassem escondidos de tocaia, esperando, horas, talvez dias inteiros, a ocasião propícia.

Ocorreu-lhe, então, procurar o sargento Carneviva, que ela o sabia em excesso rigoroso para com os soldados, e andar muito prevenido com Belota e Crapiúna, por serem jogadores incorrigíveis. A essa idéia, duma felicidade que farte, ela vibrou de júbilo, ela vibrou de cólera, misturados, na mesma expansão impetuosa, os nobres anelos de vitória e antegozo cruel da vingança.

— Hás de pagar o novo e o velho — exclamou ela, com ameaças, e triunfante — Hei de mostrar, ladrão safado, quem é tábua de bater roupa e quanto vale esta cachorra!...

E partiu em busca do sargento.

A essa hora, estava Luzia trabalhando na oficina de costuras do morro do curral do Açougue.

Confiara-lhe Dona Inacinha a superintendência das meninas taludas, depois de verificar a sua perícia, o seu exemplar procedimento, o recato de maneiras e linguagem, tão raros naquela quadra de carência de nutrição física e moral. Seria ela um exemplo vivo para aquelas pobrezinhas, condenadas à mendicidade, órfãs ou abandonadas pelos pais, expostas ao contágio da infecção, que diluía as baixas camadas da sociedade, desfibradas pelo inominado flagelo.

Entre elas estava Quinotinha, um futuro de formas, em cujas linhas, ainda angulosas, se debuxavam, nuns longes de curvas graciosas, os primeiros sinais da puberdade. Luzia acolheu-a com simpatia; e, quando soube que era a menina libertada por Alexandre da sanha monstruosa de Crapiúna, dedicou-lhe os mais carinhosos cuidados. Fruía deliciosa sensação ao contacto dela, ao exercitar-lhe as pequeninas mãos delicadas no manejo da agulha e no ajustamento das peças de costura, sensação de mãe testemunhando a florescência da força e da inteligência nos tenros rebentos do seu ser. Ela a distinguia das outras meninas, desasseadas, esgrouvinhadas, como pombas privadas do arminho das penas cândidas, de olhos toldados, como se por eles já houvesse passado a sombra funestra do crime; muitas indiferentes às carícias, aos conselhos, de grandes olhos parados, ardendo num brilho fulvo de febre, e sempre voltados para o telheiro onde roncavam, fumegando, os enormes caldeirões de comida. Quase todas pareciam esgalhos enfezados, condenadas ao estiolamento precoce, a se consumirem, varas estéreis, na coivara de vícios, que se ia alastrando, como incêndio em matagal ressequido, e mais não era outra coisa essa massa de famílias, erradicadas dos lares, desagregadas e descompostas.

Contemplando Quinotinha a trabalhar, Luzia se embebia no enlevo de um sonho, onde se dissolviam as amarguras, as tristezas do presente, e surgia, entre resplendores suaves de aurora, o desejo da maternidade, dar-lhe Deus uma filha assim, formosa e sadia. E já considerava, num gozo, em toda a sua sublimidade, esse prazer inefável de mãe, quando a estreitava ao seio fremente, lhe amimava os cabelos de menina e a beijava com afã, com a meiguice, o doce frenesi das mães amorosas.

Evolava-se o sonho, e ela considerava que a rapariguinha poderia servir de companheira à mãe enferma e a ela mesma, como irmã caçula, se os tempos não fossem tão ruins; poderia repartir, com ela, a sua pobreza, o seu quinhão parco, como fizera com Alexandre. Chegou mesmo a falar-lhe nisso, mas Quinotinha respondeu-lhe que era a mais idosa de oito irmãos, uma escadinha de meninos que terminava num de peito, e não podia abandonar a mãe, coitada, já abandonada pelo marido.

Depois disso, Luzia lhe teve mais amor, e mesmo mais sorrisos, e mesmo mais cuidados. Havia, entre ambas, a solidariedade do mesmo infortúnio, de sentimentos idênticos, dedicação e amor filial, com a diferença de ser a menina uma criatura ingênua e feliz, pela inconsciência da miséria, e ela mulher rebelada contra a sorte, assaltada de absurdas aspirações, tendo o coração apertado entre mágoas, dissabores, esperanças desfeitas, murchas como os cravos rubros de Alexandre.

Uma tarde, terminada a tarefa, Quinotinha saiu acompanhada de Luzia, que lhe notava algo estranho no semblante, de ordinário tranqüilo e risonho.

Caminharam em silêncio, algum tempo.

— Há muitos dias — disse a menina, enleada e hesitante — que ando para lhe dizer uma coisa.

— Você?! — exclamou Luzia, com interesse, com surpresa.

— Sim, eu mesma...

— Vamos lá... Diga...

— Vosmecê conhece seu Alexandre? Aquele moço que está preso por causa do furto da Comissão?...

— Conheço, sim.

— Quero muito bem a ele... Sa Luzia também gosta dele?

Luzia não respondeu; e a menina continuou:

— Todo o mundo gosta daquele homem...

— Mas... a que vem isso?

— Eu lhe conto. Sa Luzia sabe onde é a casa de Chica Seridó? Pois fui lá, outro dia, buscar um remédio, que a mamãe mandou pedir e estava esperando entretida com a Gabrina, aquela mocinha bonita, que também gosta de seu Alexandre, quando ela me largou de repente, e foi para o terreiro conversar com uma pessoa. Espiei para fora e fiquei tremendo de medo: era o Crapiúna, aquele soldado que de uma feita, quase se pegou com seu Alexandre... Fiquei quieta e, então, ouvi ele falar muito zangado: ralhava tanto, que fiquei com pena de Gabrina. Ele dizia: — Você não tem palavra. Ficou de ir lá em casa e me enganou! Ela respondeu por aqui assim: — A Chica estava com os olhos em riba de mim, que não me deixou um instante. — Você está mentindo, menina — tornou ele a dizer-lhe com muita má-criação. — Nem por eu lhe dar o par de brincos de ouro e os cortes de chita... — Mas eu não fiz o que você disse? — respondeu a rapariga, também com maus modos. — Não fui jurar em casa do Delegado?...

— Vamos. Conte-me tudo — irrompeu Luzia, ansiosa e alvorotada, devorando a menina com o olhar em fogo. — Vamos, diga a verdade.

— Não estou mentindo — balbuciou Quinotinha, espavorida pelo gesto ardente da mestra — Creia-me por esta luz...

— Não tenho receio. É para bem dele, do pobre, que está penando inocente...

— Espere. Deixe-me lembrar. Ela disse mais: — "Que queria você, seu Crapiúna?" — "O que me prometeu... Olha, diabinho, tu me tens custado os olhos da cara e... se não fosse porque..." — Aqui, ela fastou pra trás, e disse-lhe: — "Se é por causa da porqueira destes brincos e daqueles molambos, pode levar tudo. Basta a dor de consciência de ter alevantado um falso... Ainda quer mais?!..." — Crapiúna, estava-se vendo, ficou fulo de raiva e em termos de arremeter para ela...

— Está bem certa do que dizes, Quinotinha?!...

— Eu? Como em Deus estar no céu... Por sinal que ele abandonou, quando ela disse que, se duvidasse, não se dava de contar tudo; que mentira por pique, para se vingar de Alexandre... que não fazia caso dela... O soldado ficou calado um instantinho e pediu-lhe que não fosse mazinha, que se falasse, seria presa com ele, desgraçando-se os dois para fazerem benefício a um homem que, além de tudo, a desprezava por causa de outra mulher. Se ficasse quieta e fizesse o que ele queria, poderiam viver, sem ninguém desconfiar, como Deus com os anjos. — "Olhe — disse ele por fim — se eu fosse malvado, poderia encalacrá-la... Mas não faço isso, porque você é o meu único amor da minha alma." Continuaram a conversar, mas tão baixinho, que não pude ouvir, até que a Chica Seridó gritou lá de dentro por ela... Então, eu disse comigo: Que gente malvada! Vou contar tudo a sa Luzia. Não contei logo, porque tive medo que ralhasse comigo por eu andar escutando conversa de gente grande...

— Ralhar contigo?!... Pois se foi Deus quem te colocou ali para seres testemunha da verdade... Fizeste muito bem, Quinotinha; assim é que faz uma menina bem-ensinada. Nem podes imaginar o bem que fazes a duas criaturas: a ele e a mim. A mim, que libertaste de um grande peso, que me esmagalhava o coração.

E enlaçou a menina nos braços robustos; conchegou-a ao peito, convulso, que arfava, com alvoroço, desesperadamente; beijou-a em febril transporte de ternura, como beijam aos filhos as mães amorosas.

— Agora — disse a menina, libertando-se dos afagos de Luzia — deixe-me ir que é tarde... Não diga nada, nem que lhe contei...

— Vai descansada...

Quinotinha partiu a correr, e Luzia continuou o caminho para casa.

A lucidez da narrativa, duma segurança minuciosa, atestava a sinceridade da menina. Alexandre, pensava Luzia radiante, está salvo, salvo da infâmia e reabilitado para ela, por sua vez libertada das sombras cruéis da suspeita. Ele ressuscitara, e, da prisão nojenta, ascendia para o céu das suas aspirações, aureolado pelo sofrimento. E ela abençoava a voz demoníaca, aquela voz sedutora e íntima, que lhe falava com a sonoridade mística de um canto angelical, e a impelia docemente para o mártir, repetindo: "Vai, curva-te como escrava e culpada, unge as suas mãos generosas com as tuas lágrimas, porque o amas."

Se Alexandre a amasse, ele perdoar-lhe-ia; ela era, agora, culpada de haver desconfiado, por mesquinho impulso de despeito, por ter recusado ao pobre a consolação da sua presença, a caridosa visita diária à prisão, e por não resistir à crueldade pueril de devolver-lhe as pobres flores murchas, símbolo triste de afetos mortos.

XX

TERESINHA conversava com a tia Zefinha, numa rútila impaciência de olhos alegres, quando Luzia chegou a casa. Falava de Alexandre, amaldiçoando a justiça que o conservava na cadeia, havia mais de um mês, por causa de imputes feitos pelo hediondo soldado, de parceria com a Gabrina, doidivanas, positivamente, quase a despencar-se no mundo, arrastada pela falta de juízo e os péssimos exemplos, porque a morada da Chica Seridó era lugar de reunião de gente mal reputada, fregueses de suas mezinhas e feitiçarias.

O semblante claro e, claramente, expansivo de Luzia, denunciou-lhe a vontade que lhe alvoroçava o coração.

— Como vem mudada! — exclamou Teresinha — Você parece que viu passarinho verde?

— É porque tenho de quê, respondeu Luzia, beijando as mãos descarnadas da mãe.

— Vamos lá. Conte-nos isso, que também tenho boas novidades.

— Já sei quem é o ladrão...

— Ora! Isso é velho para mim, como a serra dos Cocos.

— Sabia então?...

— Olé! Não sabia, mas suspeitava.

— Pois eu sei. Foi mesmo uma coisa mandada por Deus.

E repetiu, sem reservas, a revelação de Quinotinha.

— Franqueza por franqueza — disse Teresinha, resoluta — Eu também tenho muito que dizer, coisas que me andam embuchando há muitos dias. Primeiro que tudo, fiquem sabendo: Crapiúna está preso...

— Preso?!... — exclamaram, a um tempo, Luzia e a velha.

— A onça deste pasto está muito bem guardada no xilindró...

— E quem conseguiu isso?

— Esta sua criada — afirmou Teresinha, com ênfase, batendo no peito, com largo gesto de contentamento.

Contou, então, como descobrira o esconderijo do dinheiro, as aflições suportadas com heroísmo, fanfarroneou a coragem, o sangue frio, apesar de fraca, não era mofina, e mais não morrera de terror quando se viu a sós com o malfazejo soldado, e passou a narrar a entrevista com o sargento Carneviva.

— Que quer você? — disse ele, muito apurado, riscando com proficiência grave, mapas e tabelas.

— Vim aqui dar parte... — respondeu, perturbada pela severidade do homem de má cara, muito barbada e muito fechada.

— Anda depressa, que estou muito ocupado. Comando o destacamento na ausência do tenente, que foi fazer uma diligência, e não tenho tempo para trelas.

Teresinha, muito sobressaltada, denunciou-lhe a cena do jogo em casa de Belota e a briga de Crapiúna com os paisanos.

— Bem desconfiava eu que aqueles malandros tinham casa de jogo na Gangorra — rebentou o sargento, com cólera, cheio de censura disciplinar — Deixa estar essa corja que os arranjarei... É só isso?

Logo que a moça começou a narrar o episódio de ter descoberto o dinheiro no quintalzinho do seu quarto, o sargento, em crescente interesse, largou a régua, tirou cautelosamente o tira-linhas da boca, onde o sustinha atravessado, e pejado de tinta, e cravou indagadores olhos na delatora.

— Como é isso? — inquiriu, com surpresa — Então aquele homem que está preso?...

— Inocente, meu senhor; limpo como saiu da barriga da mãe...

— Dele — atalhou, rapidamente, Carneviva, que não queria dúvidas — Veja o que está dizendo mulher...

— Vossa senhoria, se quiser, pode ver com os seus próprios olhos... Depois, eu não tenho necessidade de mentir...

— Lá isso é história. De enredos de mulheres estou farto. Vocês, quando têm raiva dos soldados inventam e mentem como deslambidas. Enfim, vou indagar o caso da jogatina. Oh! Cabecinha!...

— Pronto, seu cadete.

— Que é do Crapiúna?

— Está na guarda da cadeia.

— E o Belota?

— Também.

— Mande rendê-los e que venham já à minha presença.

Cabecinha partiu, e Teresinha fez um movimento para retirar-se e evitar a acareação com os soldados.

— Não senhora — ordenou Carneviva — Fique para deslindarmos já esse negócio.

— Poucos minutos decorreram. Crapiúna entrou primeiro, e não pôde disfarçar a surpresa de encontrar, na sala do sargento, a moça, transida de susto pelo vexame. Belota chegou, depois, com ares humildes, tímidos.

— Que história foi essa — perguntou-lhe Carneviva — do jogo em sua casa? Já lhe não havia dito que, à primeira denúncia, você, seu Belota, ajustava comigo novos e velhos?

— Saberá vossa senhoria — balbuciou Belota — que é menas verdade... Até tenho andado doente...

— Qual doente!... Você quando faz maroteira, dá-lhe logo na fraqueza...

— Por Deus, seu cadete...

— Vamos lá. Quero saber tudo... E, se mentir, arranco-lhe com a chibata, o coiro do lombo...

— Vossa senhoria me perdoe... Foi, foi... uma brincadeira... a... a leite de pato...

— Bom. E o senhor? — perguntou o sargento, voltando-se para Crapiúna, que dardejava sobre Teresinha, olhos ferozes.

— Eu não sei nada — respondeu ele, secamente, e sem hesitação.

— Ah!... Então você não esteve jogando em casa de Belo a com os vagabundos Zoião, Candinho e Vicente da Henriqueta?

— Vossa senhoria não ande atrás de histórias desta mulher, que mente como uma cadela vadia.

— Então o senhor — atalhou Teresinha, pulando, irritada pela injúria — não esteve quase se pegando com os outros? Não foi aqui o seu Belota, quem apartou a briga!?... Não é verdade que, quando eles foram embora, saltou para o meu quintal paredes-meias?...

O sargento impôs-lhe silêncio, com um gesto rápido e enérgico. Crapiúna empalideceu, e Belota, espantado, sem atinar com a significação da palavra da moça, interrogava o camarada com o olhar.

— Vamos seu Belota — ordenou o sargento — Bote para fora o que sabe. Vamos que temos panos para mangas...

Belota, sempre cheio da intransigência das ameaças do sargento, acobardou-se e contou o caso, amenizando-o com disparatadas justificativas. Fora uma brincadeira de amigo, uma coisa à-toa, que terminara num bate-boca.

— E aqui este mestre?

Crapiúna olhava, de soslaio, para Belota.

— Saberá vossa senhoria — respondeu este — que o seu Crapiúna não estava...

— Você está mentindo seu diabo...

— Quero dizer... sim senhor... Não estava não, senhor...

— Veja bem o que está dizendo.

— Não estava no... no... princípio; chegou... quase no fim... Mas, juro que não vi ele saltar o muro...

— Bom. Chegou no fim, hem!?

— É menas verdade — interrompeu Crapiúna, num ímpeto de audácia insolente — Este homem diz isto para se desenrascar.

— Não negue, seu Crapiúna — retorquiu Belota — O senhor estava. Eu, mesmo contra mim, falo a verdade como homem. Se porém, eu disser que vi você saltar o muro, minto porque deixei o senhor sozinho em minha casa, e fui ao quartel.

— E você, seu Crapiúna, o que foi fazer ao quintal vizinho?...

— Já disse a vossa senhoria que é mentira dessa língua danada.

— Também será mentira que tirou debaixo de um caixão, uma bolsa de coiro de onça?...

Crapiúna ficou lívido, e atirou, desesperadamente, um gesto de ameaça a Teresinha.

— A bolsa? — exclamou ele, maquinalmente, tomado de pasmo.

— Sim, senhor — afirmou o sargento, com ironia. — A bolsa onde guarda o seu dinheiro, a sua botija encantada.

Traído pela inesperada revelação e irritado pelos contínuos gestos afirmativos de Teresinha, Crapiúna, a custo, sofreava os estos da cólera que lhe queimava o coração.

— Eu sei lá dessa história de bolsas... — respondeu, aparentando serenidade — É verdade que cheguei no fim do divertimento; tive uma turra com o Zoião, uma bobage... Mas...

Carneviva levou o apito à boca, e tirou dele três trilos agudos e violentos. Apareceram imediatamente, quatro soldados.

— Bem. Vamos pôr isso em pratos limpos. Ah! Eu bem suspeitava que havia falcatrua... Todos os dias uma queixa. Furtinho para aqui, gatunagem para acolá... Cambada que é a vergonha da farda!... Corja de ordinários...

Depois, pondo à cinta uma garrucha, ordenou aos soldados:

— Vamos! Acompanhem-me com estes dois homens: desarmem a esses coisas ruins.

À aproximação dos camaradas, Crapiúna recuou, e levou imediatamente a mão ao sabre: mas, o sargento lho arrebatou com um movimento rápido, com um movimento enérgico.

— Olha lá!... Não se engrace comigo, seu Crapiúna... — Observou ele — Vamos e muito direitinho... Comigo não se brinca, vocês sabem...

Partiram em escolta, acompanhados por magotes de pessoas, no trajeto pela rua. Chegando ao quarto de Teresinha, Carneviva ordenou que se afastassem, e entrou com os soldados ficando à porta uma sentinela. Nessa ocasião, chegou o subdelegado, atraído pelo ajuntamento e informado da ocorrência, passou a dar a busca.

A bolsa foi retirada debaixo do caixão e aberta. Havia nela dinheiro, jóias e alguns fragmentos de papel escrito, versos de canções populares e o rascunho de uma carta a Luzia.

O subdelegado inquiriu, então, Crapiúna:

— De quem é esta bolsa?

— Não sei — respondeu o soldado, impávido de furor. — Pergunte a essa mulher que é a dona da casa...

Os camaradas presentes afirmaram que a bolsa era muito conhecida; pertencia a Crapiúna.

— Bem — concluiu a autoridade — Vou levar o fato ao conhecimento do delegado, a quem está entregue o inquérito, para lavrar o auto. O senhor sargento terá a bondade de mandar recolher os homens incomunicáveis, e comparecer com as testemunhas na delegacia.

Luzia e a mãe ouviram a narrativa, num enlevo de alegria, num enlevo de pasmo, com as almas nos olhos, como se lhes revelassem casos fabulosos, casos sobre-humanos. Era possível que Teresinha houvesse realizado tão assombrosa façanha?

— Vocês não imaginam — continuou ela — como tinha povo na rua. Parecia procissão, quando levaram os soldados para o xadrez. E a cara do Crapiúna?... Ficou verde, amarelo, encarnado como uma pimenta; botava-me uns olhos ensangüentados que me varavam... Eu, que vi o bicho bem seguro, ferrei também os olhos nele como quem diz — arre diabo!... Quando passou por mim, resmungou: — "Deixa estar sua aquela, que me pagará... Diz à tua parceira Luzia-Homem, que não hei de ficar toda a vida preso..." Senti um frio no coração, quando o malvado disse isto.

— E agora — perguntou Luzia — vão soltar já Alexandre?

— Sei lá... Disseram-me que comparecesse amanhã na delegacia para a trapalhada de depoimentos e não sei que mais.

— Ah! Teresinha — gritou Luzia, com um abraço veemente, radiante — Você é um anjo, um anjo!

— Que anjo, que nada!... Sabe o que sou? Mulher e bem mulher, de cabelo na venta. Ninguém mais faz, que não pague com língua de palmo. Chegou o meu dia... com dois proveitos num saco: Crapiúna preso e Alexandre limpo de pena e culpa.... Foi uma sorte! Viva o glorioso Santo Antônio! Ah!... se eu tivesse foguetes! Xii... tô... tô!... Viva Santo Antônio!... Vivô... Vivô!...

E, lestes, escarnicando do celerado, saciada de vingança, fazendo piruetas que lhe agitavam os seios, contorciam os quadris e enrolavam, em espirais, as saias em torno do corpo esbelto, desnudando as pernas ágeis, toda ela palpitando, toda ela a se mexer em requebros sensuais de dança, com sapateados frenéticos, e vastas chibanças de triunfo, e rindo e cantando, numa alegria louca, a sua figurinha escanzelada de retorta providencial se destacava, evidente, no fundo iluminado pelo rubro disco da luz cheia, a surgir, lentamente, em magnífica ascensão.

XXI

PROPAGOU-SE, rapidamente, a notícia da prisão de Crapiúna, como verdadeiro autor do roubo do armazém da Comissão de socorros. Não havia dúvida. Um conjunto de provas esmagadoras: a bolsa reconhecida por todos os camaradas; as declarações de Belota que, insistindo em ignorar o fato, confessava causar-lhe admiração o dispor ele de tanto dinheiro para perder ao jogo grandes somas e fazer prodigalidades com raparigas e pagodes; o depoimento de Teresinha, confirmado, de uma irrefutabilidade minuciosa; o rascunho da carta ameaçadora, entregue por Luzia ao delegado, no dia da prisão de Alexandre, e os testemunhos de Chica Seridó e Gabrina, encerraram o soldado numa culpa evidente, indiscutível.

Seridó confessou que nutrira sempre instintiva repugnância ao soldado, por seus modos atrevidos com as mulheres, muita falta de respeito, caçoadas inconvenientes; nunca, porém, lhe passara pela cabeça que ele fosse capaz de tão feia ação, como essa de levantar um impute que clamava aos céus e — o que lhe parecia ainda mais grave — reduzir uma rapariga inocente e bestalhona, como Gabrina, para ajudá-lo na obra nefanda de culpar um inocente.

— A pobrèzinha fez isso — dizia ela ao delegado, na sala de audiência da câmara municipal, apinhada de curiosos — sem maldade; e (para que hei de estar com histórias mal contadas?) porque andava inclinada para seu Alexandre, depois dos benefícios que dele recebeu. Ponha o caso em si, meu senhor. Vossa senhoria sabe que mulher, quando vira a cabeça, é capaz de tudo. Quem quer bem não tôma conselhos; não enxerga desgraças, nem se importa com perigos. Ela tinha no coração aquele amor encoberto e não me disse nada. Esta bichinha que aqui vê, esta não-sei-que-diga disfarçou tão bem que eu, macaca velha, nada maldei. Metia a mão no fogo por ela, creia-me... Aquele malvado homem, percebendo que a pobre estava enciumada, seduziu-a, com promessas de mimos, a tomar uma vingança do moço. Eu sabia que seu Crapiúna gostava de Luzia-Homem, tanto assim que, uma noite, me pediu para ir fazer uma reza, na casa dela para abrandar-lhe o coração. Fui com ele e mais o seu Belota, muito contra a minha vontade; mas (para que hei de negar?) fui e não pudemos fazer nada, porque estiveram acordadas até fora de horas. Saberá vossa senhoria que sou mulher de propósito; mesmo contra mim, falo a verdade. Fui fazer a reza, mas não há mal nisso. É com as minhas orações e mezinhas que arranjo o bocado para a boca, sem ser pesada a ninguém, Deus louvado.

— Que oração forte era essa? — perguntou-lhe o Promotor.

— Se eu disser sem ser rezando, mesmo de verdade e com fé, ela perde a virtude.

— E acredita nela?

— Ah! seu doutô, queria ter de anjos para acompanharem minha alma, as pessoas beneficiadas por ela. Não foi uma nem duas... Muita senhora dona de família e consideração...

Enquanto a Seridó falava, Gabrina, de pé, ao lado dela, cravava os olhos sombrios na fímbria do casaco de cassa, cujas rendas enrolava e destorcia maquinalmente, entre os dedos hirtos. Os músculos do seu rosto, lindamente oval e duma cor lindamente morena, emoldurados em cabelos negros e crespos, não traíam abalos violentos: estavam imóveis, e apenas se percebia pelas narinas dilatadas e palpitantes, a sua respiração entrecortada de suspiros abafados.

Contemplavam todos a mocinha de formas flexíveis e delicadas, apenas livres das linhas incompletas da infância e desdobrando-se em contornos graciosos; e, lastimando achar-se ela complicada no crime, todos a envolviam numa atmosfera de simpatia que os impulsos passionais despertam.

Por fim, perguntou-lhe o Promotor:

— É verdade o que diz esta senhora?

— É, sim senhor — respondeu com voz que mais parecia um sopro.

— Foi Crapiúna quem lhe insinuou esta calúnia?

— Foi, sim senhor...

— Por que não resistiu?

Gabrina ficou calada.

— A senhora amava Alexandre?

Como se o coração, muito tímido, lhe despejasse no seio a repoisada torrente de lágrimas, ela prorrompeu em convulso pranto, escondendo o rosto no seio da Seridó, que a amparou, que a enlaçou nos braços, com maternal carícia.

— Bem, bem — concluiu o Promotor — Não a martirizarei mais. Sossegue...

E, voltando-se ao Delegado, disse-lhe, em voz baixa:

— Realizaram-se as minhas previsões. Temos a eterna história, um drama de amor...

Nesse momento, entrou Alexandre no recinto, fechado por uma balaustrada, e destinado aos jurados. Seu olhar aceso de febre, luzindo na sombra das pálpebras roixeadas, fixou-se piedoso na febril rapariga; e, no rosto macilento, assomou um ligeiro sorriso amargurado.

— Aproxime-se — ordenou o Delegado.

Ele deu alguns passos vacilantes para a frente, perturbado pelas mal contidas exclamações de dó, que chegavam aos seus ouvidos sequiosos, naquele instante, do caricioso eco de vozes amigas. Os que ali estavam eram todos curiosos, enviscados pelo escândalo, ou indiferentes e desocupados, procurando diversão no desenlace do inquérito policial, à exceção de Teresinha, que o contemplava silenciosa, sentada a um canto.

Muitos comentavam os estragos que a infecta enxovia produzira na saúde do moço.

— Senhor Alexandre — disse-lhe o Promotor, a voz sonora e grave — um conjunto de indícios, de elementos de prova bem acentuados e persuasivos, determinou o vexame que sofreu. Ia sendo vítima de um desses erros que, infelizmente, não são raros na história dos tribunais e que, por lamentável lacuna, não encontram nas leis, meios completos de reparação. Órgão da justiça, lamento, sinceramente, fosse recolhido por infundadas suspeitas de tão grave imputação; teve, porém, a ventura de sair ileso dessa provação suportada com heroísmo. O verdadeiro criminoso está descoberto. Nada impede, agora, que a justiça proclame a sua honra restaurada com a liberdade que, neste momento, lhe é concedida.

Perpassou pelo ambiente, um sussurro de aprovação unânime, porque, desmascarado o ardil do soldado, ninguém nutria dúvidas sobre a autoria do crime.

Não era possível que um moço bem procedido e de abonados precedentes fosse capaz de tão vil ação. Por outro lado, todos confessavam, então, justificadas suspeitas contra Crapiúna, quando não fosse por qualquer motivo definido, pela má cara do homem, seus costumes dissolutos, ou por mero palpite. Não fora, entretanto, o feliz acaso de surpreender Teresinha o esconderijo do dinheiro, ou, como ela afirmava sinceramente, a intervenção do glorioso Santo Antônio, o inocente seria denunciado, processado e condenado. E toda aquela gente aprovaria, com igual entusiasmo, a justiça inexorável.

O Delegado, voltou-se para o Carcereiro e, indicando-lhe a Seridó e Gabrina, ordenou:

— Recolha aquelas mulheres.

— O quê?!... — exclamou a Seridó apavorada — Pois eu sou presa por falar a verdade? Que culpa tenho, seu Delegado, do malefício dos outros? Eu, que não matei, não roubei, que nunca fiz mal a ninguém... que não tenho rabo de palha!...

Gabrina olhava em torno espantada, como se despertasse atordoada pelo nevoeiro de mau sonho. Estancaram-se-lhe as lágrimas e sucederam-lhes violentos soluços.

Quando o Carcereiro se aproximou, e a intimou com a frieza fulminante do ofício, dizendo: "Vamos", acometeu-a o terror da prisão. E enquanto a Seridó implorava piedade, justificando-se com protestos de inocência, lamentos e súplicas, ela, com desenvoltura de criança que se refugia no seio paterno, agarrou-se a Alexandre.

— Perdoe-me, seu Alexandre — suplicava, com gritos vibrantes — Não deixe que me levem presa! Que vergonha!... Não, não é possível!... Peça por mim; valha-me pelo amor de Deus!... Ai!... ai!... que eu morro!... Quem me acode!... Minha gente, tenha pena de mim, de uma pobre filha sem mãe?... Ah! seu Alexandre da minha alma, pelo leite que mamou, peça por mim que lhe quero tanto bem... Valha-me, valha-me por tudo quanto há de mais sagrado. Peço por alma de sua mãezinha, pelas cinco chagas de Nosso Senhor Jesus Cristo... Sim, por tudo, pela luz dos seus olhos, pela vida de... de... Luzia!...

Esgotadas, nesse esforço sobre-humano, as derradeiras energias, a pobre inteiriçou-se; seus braços froixos penderam dos ombros de Alexandre; a cabeça, escondida nos cabelos desgrenhados, inclinou-se sobre o seio e ela caiu emborcada, como um corpo desarticulado e morto, aos pés do moço, transido de espanto e piedade.

Acercaram-se da mísera algumas mulheres e a Seridó, que pedia um caneco d'água, um capucho de algodão queimado, e a esfregava, com força, sobre o peito.

Alexandre dirigiu-se ao Promotor:

— Se lhe mereço alguma coisa, seu doutô, tenha compaixão daquela pobre. Ela não soube o que fez... É quase uma criança...

— Tem razão — observou o Promotor, convindo docemente — É possível evitar... Demais seria uma violência inútil...

XXII

PARA se arrancar à comoção forte daquela cena que o amolecia, e apertava o seu tão chupado organismo, Alexandre deixou o salão das audiências, seguindo-o, de perto, Teresinha, muito zangada pelo ato de generosidade que ele praticara em favor de Gabrina.

— Com aquela carinha de enfinta, — murmurava ela — de alfenim, que com qualquer coisa se derrete, não me engano. É muito mazinha de bofes. Com aquela parte de gostar de você, não se lhe dava de ser causa do muito que penou na cadeia. O amor deu-lhe pra maldade. Era bem-feito que ela fosse gemer e chorar no xadrez para saber se é bom levantar falso testemunho aos outros. Não há nada melhor que a gente ser fingida: faz quanta perversidade há e no fim de contas, basta se derreter em choro e ter um vágado para ser perdoada. Eu, não me importa de dizerem que tenho más entranhas. Quem me fizer paga, tão certo como dois e dois serem quatro. E então a Chica Seridó? Como ficou piedosa e inocente, ela que é a alma danada de tudo... Aquilo tem mais artes e ronhas que diabos nas profundas do inferno... Fosse comigo, ficavam as duas ensinadas para toda a vida.

Alexandre não se justificou. Continuaram a caminhar: ele silencioso, ela resmoneando a censura. Quase ao pé do armazém da Comissão, ele perguntou, inesperadamente:

— E Luzia?

— Foi trabalhar — respondeu Teresinha, amuada.

— Por que não veio com você?

— Porque teve vergonha de se expor diante de tanta gente. Disse-me que estava alcançado o que desejava: a sua liberdade; nada mais tinha que fazer. Não pregou olhos a noite inteira, esperando que amanhecesse o dia de hoje. A tia Zefinha não cessava de agradecer a Deus. Se visse como a pobre alminha estava contente... Nem parecia a enferma que conhecemos, engelhada, encolhida, cortada de dores...

— Coitadinha! E... Luzia? Ainda está zangada comigo?

— Que zangada!... Aquilo foi um repiquete de ciúmes. Quis, à fina força, fingir de coração duro e forte, mas desenganou-se. Uma penca de corações não vale um grão de milho. Deu-lhe a paixão na fraqueza, e aquela criatura, forte como um boi, entrou a fazer coisas de criança: ficou logo meia lesa e capionga; deu-lhe para maginar, olhando para o tempo e querendo sustentar capricho, mesmo depois de haver sabido, pela Quinotinha, do aleive da Gabrina.

— E... depois?

— Depois?... Entrou a repetir que nada tinha feito em seu favor, que a mim, somente a mim, se devia tudo, quando foi ela que me deu o dinheiro para a Rosa Veado rezar o responsio.

— Que pretende ela fazer agora?

— Diz que espera poder ir, em breve, para as praias, logo que a mãe possa viajar.

— Sempre essa idéia.

— Teimosa é ela. Isso é verdade.

— Sabe, Teresinha? Ainda estou meio encandeado e parece um sonho estar livre daquele inferno. Toda essa gente a andar aqui pela rua, a me olhar espantada, causa-me tonturas. Como que me falta o chão debaixo dos pés.

— Isso passará...

— Tenho, aqui no nariz, o fedor da cadeia, a inhaca dos presos. Que horror! Cem anos que eu viva, nunca esquecerei esses dias de martírio.

Alexandre falava lentamente, falava fatigado, com profunda impressão de mágoa no rosto macilento, que a barba crescida e inculta tornava ainda mais triste. Queixou-se de dores ao lado direito, debaixo da costela mindinha, de falta de ar e de uma tosse seca que o acometia quando respirava, mesmo a curto fôlego.

— Aquela cadeia — dizia ele — matou-me. Nunca mais hei de ter saúde.

A Comissão de socorros o recebeu com demonstração de compassivo afeto, lamentando os vexames sofridos pela infame imputação. Foi-lhe pago o ordenado integral: e, como reparação, teve acesso para o posto de administrador dos depósitos de víveres, percebendo, além da ração, sessenta mil-réis em dinheiro, uma riqueza naqueles apertados tempos.

Teresinha comentava o fato, os males que vêm para bem, e, logo, achou muito justo esse procedimento da Comissão; e, todavia, observava que o dinheiro lhe não pagaria as ruínas da saúde, os incômodos e, mais que tudo, a vergonha de ser apontado como ladrão, como um infame que havia roubado o de-comer dos pobres famintos, para saciar vícios abjetos, tudo por causa de suspeitas que ela, mulher ignorante, mal sabendo ler por cima e assinar o nome, repelira desde o primeiro momento, porque o coração lhe dizia que ele não tinha cara de se sujar com o alheio. Admirava como os homens da justiça, que sabiam ler em grandes livros de letras embaraçadas, homens de óculos, que sabem tudo, não tinham logo percebido que o criminoso não era outro senão Crapiúna. Quantos inocentes não estariam pagando culpas alheias por causa da cegueira da justiça! Quantos não ficam livres de pena e culpa, apesar de autores de crimes escandalosos, perpetrados perante Deus e o mundo, à luz do dia, como aquele nefasto Bentinho que matara Berto, como quem mata um cão, e apenas ficou recolhido alguns dias à sala livre, por ser capitão e filho do maioral da terra!

E suspirou entristecida, sucumbida à dolorosa recordação do bárbaro amante, arrastado pelo cavalo desembestado, deixando nos tocos, pedras e cardos, farrapos sangrentos do corpo esfacelado.

Aglomeravam-se retirantes à porta do armazém para verem Alexandre, cujo prestígio de mártir aumentava com as novas atribuições de administrador. Uns, sinceramente, lamentavam o fato; outros o adulavam com fingidas lamúrias, para serem preferidos na distribuição de rações bem medidas, com lavagem, como eles diziam, porque outros empregados de coração duro mediam farinha e feijão sem caculo, rapando a boca do litro, poupando, como usurários, os dinheiros do Governo e o de-comer que a Rainha[1] mandara dar de esmola aos pobres.

Alexandre procurou fugir à curiosidade da multidão, recolhendo-se ao fundo do armazém, onde ficou, apesar dos insistentes rogos de Teresinha para irem juntos à casa de Luzia, que estaria ansiosa por vê-lo; e, como ele recusasse obstinadamente, ela se despediu, enfadada, dizendo-lhe:

— Vou embora. Já que teima em não me acompanhar, irei sozinha. Direi a Luzia que você está doente e aparecerá amanhã. Não falte, não negue essa consolação àquela pobre criatura que, abaixo de Deus, só pensa em você, seu ingrato. Capricho não se fez só para mulheres.

— Pobre de mim.

— Pobre, não. Bata na boca. Diga rico, bem rico, porque uma prenda igual a ela só encontram os afortunados. Você fala de farto. Os homens todos são assim, cheios de luxos e desdéns quando são queridos. A demora é saberem que a gente gosta deles: começam logo a botar cafangas.

— Diga o que quiser, Teresinha. Está no seu direito. Não me zango com isso, nem exijo nada; basta o muito que tem feito por mim. Mas, não posso acreditar que Luzia me queira, como você diz. Que faria no lugar dela?

— Cada um sabe de si e Deus de todos. Eu faria o que sempre fiz, e por isso apanhei muito na minha ruim cabeça. Hoje, torço as orelhas, que não botam sangue. Ah! quem ama não tem tico de vergonha. É verdade que você, agora, está melhorado de sorte, quase rico...

— Prefiro o trabalho na Ladeira da Meruoca, às vantagens que tenho aqui.

— Deixe-se de luxos. Veja se é ou não como eu digo: este quer se meter no cafundó da serra, a outra só pensa em sumir-se para o lado das praias.

Histórias!... O que vocês querem sei eu... Deixa-me ir que é quase de noite... Até amanhã... Veja bem, seu Alexandre, o que me prometeu!... Até amanhã... Agora vá fazer feio comigo...

XXIII

NUNCA estivera Luzia mais atenta, mais solícita na ocupação de diretora das meninas costureiras. Fingindo indiferença aos comentários e informações, resmungados de grupo em grupo, sobre o extraordinário caso do dia, às perguntas indiscretas, alheia aos gracejos inofensivos, levemente maliciosos, das companheiras de trabalho, respondia com meias palavras, com evasivas curtas de quem se não quer importunar de olhares impertinentes, de mexericos, de insinuações. Mas, as meninas mais taludas cochichavam a respeito

---

[1] *Rainha*: o autor situa os fatos de romance em 1878 (veja o cap. VI). A rainha a quem ele se refere é a esposa de D. Pedro II, D. Teresa Cristina Maria de Bourbon, filha de Francisco I, rei das Duas Sicílias. (N. E.)

da mestra; trocavam gracejos contemplando-a, de soslaio, muito espantadas de que ela não acompanhasse o contentamento dos amigos de Alexandre, que eram, então, muitos, quando devera ser a mais interessada no desfecho do aleive urdido pelo celerado Crapiúna.

Notava-se-lhe, no entanto, certo cuidado excepcional no arrumo dos cabelos em grossas tranças luminosas, dum brilho escuro de cobras negras, a escolha do vestido de chita cabocla, guarnecido de rendas, e as posturas faceiras, a disfarçarem o alvoroço do coração. Seus olhos, onde brilhavam lampejos fugaces, se fitavam, a curtos intervalos, na foz da larga estrada da cidade, e seus ouvidos, com avidez aguçada, colhiam frases soltas, palavras esparsas dos trabalhadores que chegavam, e traziam notícias últimas dos últimos acontecimentos.

— Estive na Casa da Câmara — dizia um — Tem gente que faz medo. A sala estava atcpetada, e os soldados não deixavam mais entrar o povo que se espalhava por fora, pela escada do *rendengue*[1] abaixo, até à rua. Ouvi dizer que a Chica Seridó contou tudo...

— Eu vi o Crapiúna — afirmava outro — Estava como uma onça acuada. Os olhos pareciam duas brasas.

— Não viste a Gabrina? — inquiriu uma mulher — Pois eu tive pena dela. Fazia apertos no coração. Tão moça, tão bonitinha e faceira e implicada na história do roubo. Eu, Deus me livre de tal, se me visse em semelhante vergonheira, era capaz de morrer.

— Foi sempre uma desmiolada — acentuava uma velha — Conheço-a desde menina. Era um diabinho em figura de gente. Também a mãe, Deus perdoe os seus pecados, não se importava com ela; fazia-lhe todas as vontades... Sempre digo que essa criação d'agora não prestá. Filhos muito senhores de si, por qualquer descuido, se desgarram. Os meus não punham pé em ramo verde. Muito amor, mas muito respeito e cabresto curto.

— Nestes tempos de miséria — ponderou um carpinteiro idoso — ninguém tem folga para cuidar da criação dos filhos. Vão se criando ao Deus-dará, como filhos de pobre.

— Os mais bem criados não estão livres de uma desgraça. Não valem cuidados, nem vigilâncias; a miséria entra pelas gretas das fechaduras, empesta o ar e tira o juízo.

— Quando saí — informou um recém-chegado — a Chica ainda estava falando. Ela, que tem partes com o demônio, estava se vendo para explicar a embrulhada das sacas de feijão e de farinha recebidas de Crapiúna, os cortes de vestido e os brincos de oiro. Imaginem vocês que aquela inocente, passada pelos corrimboques, não maldou. Se eu fosse delegado, ela ia, mas era pra cadeia, para não se fazer de besta, pensando que os outros têm um tê na testa.

— Ladina como ela só... Quem a ouvir, não a leva presa.

Luzia não perdia uma sílaba do que se dizia. Colhia, aqui e ali, fragmentos de narrativas, observações, notícias incompletas, que devorava na ânsia de saber tudo, principalmente o que concernia a Gabrina e a Alexandre, de quem não haviam ainda falado. E Te-

[1] *rendengue*: pequeno sino da antiga Casa da Câmara. (N. E.)

resinha? Onde se metera? Por onde andava que não vinha para dar-lhe, como prometera, informações seguras, anunciar-lhe a feliz nova da libertação do preso, ou trazê-lo?

Correram horas de ansiedade, da pungente tortura de esperar, suportada de rosto sereno, onde não havia uma contração de impaciência.

As sombras informes da penitenciária, das grandes paredes de andaimes complicados, se alastravam pela encosta do morro; o anilado perfil das serranias se esfumava em turva neblina de mormaço, e a viração, caída como um hálito de febre, revolvia o pó em torno das moitas mortas, rugia nas palhas dos alpendres e barracas, anunciando o pendor do sol para o ocaso flamejante.

Do alto do morro ela divisava a faixa de oiticicas seculares, marcando o contorno do leito do rio estanque, e a cidade, como um enorme crustáceo farto à sesta, as torres da matriz alvejando em plena luz, o vermelho, o vasto telhado da casa da Câmara, no qual, tanta vez, demorara o olhar saudoso e compadecido do homem querido, sofrendo, ali, aviltante prisão, e donde ela, enternecida, esperava, agora, ver alar-se o anjo da esperança triunfante. Mas, não partia de lá, nem o eco de uma voz de alvíssaras, nem um sinal auspicioso animava a paisagem, tocada de tons quentes de brasa, numa imobilidade de coisa morta, num silêncio triste de sítio desolado, quando ela desejava que a natureza, as coisas vivas, as coisas mortas participassem da sua ansiedade, do seu desejo quase raro, quase ignorado.

As meninas cosiam, diligentes, agrupadas em derredor da mestra, numa garrulice de passarada inquieta. Ranchos de operárias davam a última demão ao trabalho do dia; retirantes fatigados da derradeira caminhada se aliviavam das cargas de material, e os feitores contavam e notavam em cadernos apolegados, o pessoal que vinha chegando lentamente.

Apareceu por último, Raulino, rúbida figura de bretão, muito alto, muito magro, de músculos túmidos, os revoltos cabelos ruivos empoeirados, erguidos em trunfa sobre a fronte tostada.

— Então? — inquiriu Luzia, erguendo-se a encontrá-lo.

— Está solto. Não o vi, porque havia gente como formiga defronte do armazém. Teresinha saiu com ele. Estava desfigurado, dizem, como quem se levanta da cama de moléstia maligna. Credo! Parecia um defunto em pé.

— Não falou com ele?

— Fiz o possível; mas tinha pressa de chegar aqui antes do ponto.

— Está mesmo livre. Não é, seu Raulino?

— Tão livre como eu, que lhe estou falando. Também não foi sem tempo, porque se o pobre ficasse mais alguns dias na cadeia, talvez fosse desta para melhor. Saía dali para a cova.

— E agora?...

— Agora... é cuidar da saúde, e trabalhar. Pobre não tem direito de ficar doente. Barco parado não ganha frete...

— Acha que ficará bom?

— Alexandre é rijo e moço. Com alguns dias de ar livre, fica capaz de outra, do que Deus o livre. Aquilo é madeira de lei; o cupim da moléstia há de custar a roê-la.

— Ainda bem.

Luzia voltou-se para as meninas, e ordenou-lhes que dobrassem as costuras, embora não soasse ainda a hora de terminar a tarefa. Pensou, então, em abandonar o trabalho, voar a casa, onde, talvez, a estivesse Alexandre esperando, ansioso. Mas, primeiro a obrigação, o cumprimento do dever remunerado pelo pão de cada dia. E ficou, aparentemente, calma, resignada à lentidão do tempo, porque o sol, que o governava, como que havia parado, desceu escandescido, na calma imensidade de oiro alastrado.

Dona Inacinha errava, rabujenta, entre as turmas de costureiras, resmoneando censuras graves, cheias de desgosto.

— Tudo muito mal feito, obra albardeira, mal-acabada e feita à pressa: não paga o pirão que custa.

— Vocês mesmo — continuava, com asperezas fanhosas de voz, traindo a irritação incoerente de celibatária — não se emendam. O que lhes digo sobre o serviço entra por uma orelha, e sai pela outra. Estas costuras encardidas bem mostram que foram feitas por porcalhonas. Vejam as da Luzia. Dá gosto lidar com uma pessoa assim cuidadosa e cumpridora dos seus deveres. Os pospontos parecem feitos por máquina. Vocês me põem doida. Estou vendo a hora de perder a paciência e o juízo. Se vivem grazinando na conversa, em vez de olharem para o que estão fazendo.

E mais rubro se acendia, riscado de veiazinhas tensas, o grande nariz da beata, montado de grandes óculos cintilantes.

Quando chegou a turma de Luzia, estranhou que as peças costuradas já estivessem todas arrumadas em pilhas.

— Como? Tão cedo, e já acabada a tarefa?

— É que eu — observou Luzia, enleada — desejava sair hoje mais cedo...

— Por que não me disse há mais tempo? Pode ir. Você merece contemplações. Dá conta do serviço, como uma moça de vergonha.

Acrescentou depois, sorrindo, com ironia, e cravando nela os pequeninos olhos maliciosos:

— Hoje é dia grande para você, sua sonsa. Já me disseram: sei tudo. Vá, ande, e seja bem sucedida. Como é para bom fim, não me importa de dar-lhe um suetozinho...

Luzia corou; agradeceu o favor, e partiu veloz, açoitada pela ventania morna e violenta que lhe relevava as formas, colando-lhe, como uma túnica de estátua, o vestido ao corpo, mal disfarçando os graciosos contornos, modelados por inspirado escopro.

O coração pulsou-lhe inquieto, ao avistar o tecto da casinha, vergando ao peso das telhas enegrecidas pelas intempéries, deslocadas pelos tufões. Naquele abrigo, onde gemia a mãe doente, e que ela amava como lugar do sofrimento dos fortes resignados e dos crentes; naquele sítio, onde Alexandre lhe propusera viverem eternamente juntos, ligados pelo mesmo afeto espontâneo e sincero, e lhe dera os cravos vermelhos que lhe haviam envolvido o coração com raízes vigorosas, e o inebriaram com o seu perfume suavíssimo;

sob aquele tecto velho, a vacilar sobre as forquilhas de aroeira, passara dias de amargura, noites de vigília torturantes, e os momentos mais venturosos de sua existência. humilde, ignorada; e ali, àquela hora melancólica, contrastando com as pompas deslumbrantes do crepúsculo, encontraria a satisfação dos seus supremos desejos.

Exausta da caminhada, estacou para tomar fôlego e consertar as vestes, como quem se aparelha para um lance de efeito. Prosseguiu, lívida e trêmula, com precauções de menina criminosa na iminência de castigo merecido.

A latada do alpendre estava deserta. Sobre a trempe fumegava uma grande panela de barro. Os utensílios domésticos estavam arrumados no jirau. O silêncio, um silêncio triste de abandono, era interrompido pelo queixume triste dos ganchos de ferro, donde pendia a rede, em que a mãe se baloiçava, defronte da porta do quarto escancarada.

— Que é isto? — perguntou-lhe a velha — Supus que viesses com Alexandre...

— Não — respondeu ela. — Vim do morro.

— Não foste à cadeia?

— Fui trabalhar.

— Que modos, filha? Esperava ver-te alegre e ditosa...

— Quem sou eu para merecer tanto?

— Tens alguma coisa? Estás cansada, não é?... Sempre digo que te matas sem proveito com os teus excessos de labutação.

— Teresinha não apareceu?

— Não.

— Sabe que Alexandre já está livre?

— Deus seja louvado!

— Agora vamos cuidar de nós — concluiu Luzia, atirando o manto branco sobre a corda atravessada ao canto do quarto. E, voltando ao alpendre, tratou do jantar da doente, que a seguia com os olhos carinhosos, olhos de mãe.

— Bem mereço este castigo. Sou eu a culpada. Abandonei-o por soberba, capricho... Teve razão. Não devia perguntar por mim — murmurou, enchendo de caldo a tigela. — Eu, no lugar dele, não viria atrás de uma ingrata feroz... Ah! os homens nada desculpam; não perdoam... São vingativos porque não são capazes de querer bem como nós, que, por eles, esquecemos tudo...

— Que tens, filha? — repetiu a velha, recebendo o caldo fumegante. — Choraste?

— Não — respondeu ela, a voz salteada, comovida. — É a fumaça que me faz arder os olhos...

E sentou-se à soleira da porta, desmanchando, lentamente, as bastas tranças, do lustre fulvo da asa da caraúna, as tranças que vendera por causa dele, dessa criatura ingrata, que os seus olhos, flébeis de decepção e de saudade, procuram, em vão, topar, de súbito, surgindo onde o caminho torcia, encoberto de moitas mortas de mofumbas e juremas, a cujos galhos, desordenadamente hirtos, contorcidos, a ventania vultarna dava movimento, gestos de aflição, nuns silvos de estertor.

XXIV

SEPARANDO-SE de Alexandre, Teresinha começou de sofrer a extenuante reação do esforço empregado para salvá-lo. Essa generosa empresa, que a seqüestrara à influência deletéria dos hábitos de viciosa passiva, que lhe despertara afetos adormecidos no coração, encrostado ao atrito do infortúnio e lhe deparava a inefável satisfação de ser útil, fora, muitos dias, o pólo da gravitação do seu espírito. Nesse período de agitação do cérebro ocioso e vazio, ela só pensava na iniqüidade do constrangimento de um inocente, no martírio da enxovia imunda, na arrogância petulante de Crapiúna e no cruel insulto, que a chicoteara como um relho. Alcançado o anelo de justiça e vindita, parecia faltar-lhe a razão de viver. As pétalas de sua alma, sob um fino, um suave orvalho do bem, se contraíam tristonhas, como folhas que, saciadas de luz e oxigênio, se encolhem para adormecerem ao avizinhar da treva, e se expandem viçosas ao raiar da seguinte aurora. Ela, porém, se sentia sepultada em noite sem esperança de alvorecer, sem o consolo delicioso do sonho a doirar a ignomínia da realidade, onde imergira, como num tremedal de lama gulosa.

Restava, entretanto, o remate da obra meritória, a felicidade de Alexandre e Luzia; vê-los casados, muito amigos um do outro; e fruir o saboroso quinhão de ventura do lar abençoado. Mas, os dois pareciam separados pela teia de aranha de melindres fúteis ou amarrados ao poste de caprichos injustificáveis. Seria mais nobre, mais humano, se estreitarem em decisivo amplexo, como faria ela, sem ponderar conveniências, escrúpulos, circunstâncias, num arroubo de paixão vitoriosa.

As reservas de Luzia irritavam-na como estulta resistência. E murmurava, caminhando a esmo, injúrias contra ela, recriminações a Alexandre, um *mazanza*[1],que ficava no armazém embiocado de fadiga, quando a liberdade e o amor deveriam restituir-lhe as forças, dar-lhe asas para voar, como um passarinho evadido para junto da criatura querida.

— Arre lá! — exclamava indignada — Que se arranjem, que se separem, cada um para o seu lado. Que me importa!... Bem-querer não é obrigado, nem eu tenho nada com isso. Eu me intrometi demais em negócios alheios... Chega a meter-me raiva tamanha cerimônia entre pobres diabos, que não têm onde caírem mortos, quanto mais vivos...

Considerava depois, que não mudaria o seu destino se eles fossem felizes. Ela seria esquecida, porque o dia do benefício é véspera da ingratidão. Na embriaguez de gozos divinos, não se lembrariam dela que havia sofrido por eles; não teriam uma palavra de dó da pobre Teresinha, mulher à-toa, desprezada como vil trapo humano, atirado ao monturo dos resíduos sociais, vagabunda sem rumo, sem triste vintém para comprar um bocado, carecendo de tudo e não sabendo onde buscar cinco patacas do aluguel do quarto, abandonado, havia mais de mês.

---

[1] *mazanza*: indolente, preguiçoso. (N. E.)

À recordação dessa dívida, surgia a horrível idéia de ser forçada a volver ao poste da infâmia, onde passara noites acocorada à soleira da porta, fumando cigarros, mutuando gracejos torpes com as vizinhas; ou, solitária, bocejando, a lutar com o sono, aguardando o inesperado amante, que a provesse de alimento para o dia seguinte deixando-lhe o imundo bafio hircico[1] de homem luxurioso, impregnado na sua pele. Vinha-lhe, então, invencível nojo à passividade abjeta de coisa que se vende, tábua de lavar roupa, como dissera Crapiúna; assaltava-a o terror de volver àquele lamaçal infecto, como se o contágio da pureza, o exemplo da honestidade impoluta e forte, em combate com a miséria, lhe houvessem infundido no coração, fechado aos afetos sãos e benfazejos, um nobre impulso de amor-próprio. Faltava-lhe, porém, coragem para resistir ao pendor criminoso, volver a trabalhar como as outras desgraçadas, nas obras da Comissão, carregar água, tijolos, areia. Que poderia fazer para ganhar, além da ração, algum dinheiro, uma criatura franzina, desacostumada a esforços musculares, e, por cúmulo de males, aberta dos peitos?...

— Como há de ser, Deus do céu? — exclamava, aflita — Como hei de viver agora, sozinha, sem parentes e aderentes nessa desgraceira!...

E seguia, lentamente, na direção da casa de Luzia, contornando os quintais e as casas extremas da cidade, para evitar o trajeto nas ruas cheias de gente, mendigos, enfermos e a praga de meninos esfomeados.

Na várzea, varada de trilhos claros que riscavam o chão negro, ela encontrou, àquela triste hora da tarde, magotes de retirantes, cobertos de pó, marchando em filas tortuosas, das quais, como de um rastilho de suplício marcado pelas vítimas, se destacavam indivíduos ou famílias, que paravam emaciados, rendidos de cansaço e se sentavam para repcisarem, recobrarem alento e comporem os andrajos, antes de penetrarem na cidade.

Esse espetáculo de todos os dias, na sua monotonia sinistra, não a impressionava mais, porque se habituara à vizinhança da miséria nas formas mais lúgubres e vis. Vira crianças, a sugarem os seios murchos das mães mortas; cadáveres desses entezinhos abandonados sobre a estrada, devorados por urubus e cães vorazes; criaturas, ainda vivas e exangues, torturadas pelas bicadas de carcarás a lhes arrancarem, aos pedaços, as carnes ulceradas e podres. Vira mães desnaturadas ocultarem em crateras de formigueiros, o fruto de amores criminosos, ou traficarem com filhas impúberes; pais desalmados, incestuosos e delinqüentes dos mais torpes crimes, como se o concurso de todas as dores e de todas as baixezas, condensando-se em enorme e fantástico suplício, os houvera transformado em monstros hediondos, rebalçando-se em lances trágicos de ferocidade inconsciente. Diante dela haviam tombado, fulminados pela fome, indivíduos de aparência sadia e robusta, estrebuchando no chão como epilépticos a tragarem terra aderente aos dedos sangrentos e blas-

[1] *hircico*: que tem cheiro de bode. A palavra vem do latim *hircus, hirci*, que quer dizer “bode”. (N. E.)

femarem contra o Deus impassível que os desamparava, os renegava filhos pecadores, condenados, em vida, às torturas daquele inominável inferno da miséria.

Milhares de criaturas haviam sido provadas nesses transes inenarráveis; no entanto, ela havia apenas sofrido o ferrete da ignomínia. Era, pois, incomparavelmente, mais feliz que aqueles pobres alquebrados, que passavam lentamente, restos de uma raça de trabalhadores heróicos e fortes, desbaratada sob o látego do castigo do céu. Se devia cair mais, descer mais fundo no sorvedoiro da infâmia, padecer como aqueles mártires, desejaria ser levada por uma moléstia para a vida onde ninguém sofre.

À sua imaginação desvairada volviam, com esses pensamentos tristes, as figuras de Alexandre e Luzia: ela caminhando para a praia, confundida no êxodo, conduzindo a mãe estropiada; ele, feliz, bem colocado no emprego e apoiado na confiança dos Comissários. E não se conformava com o romance passional sem desenlace, empatado pelo egoísmo de ambos.

Desviando-se, insensivelmente, Teresinha foi ter ao sobpé da encosta íngreme cerrada pelos rochedos, chamados Fortaleza, nos quais terminava o renque de casas da Leonor, onde morava Rosa Veado. Aí o caminho, que era uma breve ladeira cavada entre pedroiços, estava obstruído por um grupo de três indivíduos, uma família que subia a passo tardo, tangendo um velho burro, pelado e esquelético, carregando duas malas e, no meio da carga, os utensílios domésticos e o oratório de cedro[1] envernizado, cheio de santos. Um velho, de longas barbas brancas, puxava o animal pelo cabresto; ao lado, ia a mulher, também idosa, de formas cheias; atrás, marchava uma rapariga loira, de corpo franzino e flexível, acusando o despontar da adolescência. O burro, de grandes orelhas bambas, vacilava a cada passo, e era animado pelos seus condutores com palmadas carinhosas nas ancas, estalidos de lábios soando como largos beijos, e vozes de estímulo. Mas o mísero bufava, arquejava, e mal se podia equilibrar sobre as patas corridas de suor, trêmulas, hesitantes.

— Que maçada! — resmungava Teresinha, obrigada a seguir o moroso grupo, parar quando ele parava, a marchar com ele, bem chegada à mocinha loira — Esta só a mim acontece...

Entretanto, o animal, vergado de fadiga, tirava-lhe funda piedade. O oratório, encimado pela pequena cruz singela, a balançar surgindo dentre o amarradio de cordas de crina, evocava meiga saudade, fantasmas de anjos esvoaçando através de sua memória obscurecida, recordações vagas, místicas comoções, talvez provocadas pela parte dos santos no infortúnio dos adoradores, aquela família de crentes, que não os abandonava, como tutelares do lar vazio.

— Vamos, vamos! — dizia a mocinha ao animal — Caminha mais um bocadinho; estamos quase em riba.

---

[1] *oratório de cedro*: a fé popular, orientada pelo clero da Igreja Católica, sempre valorizou muito as imagens de santos. O autor ressalta essa grande consideração pelas imagens quando coloca, entre a carga indispensável à sobrevivência dos refugiados, um oratório de cedro (madeira pesada) cheio de santos. (N. E.)

Essa voz tinha sonoridade consoante às recordações de Teresinha; era a de uma pessoa querida, morta, ou, havia muito, ausente, depois de feliz encontro na sua carreira aventurosa pelo mundo. Quem seria? Onde ouvira falar aquela criatura, que lhe alvoroçava o coração? E à revolta contra o obstáculo, sobreveio intensa curiosidade de ver a mocinha, de saber quem era.

O burro, com supremo esforço, deu mais alguns passos e chegou ao cimo da pequena ladeira, junto dos grandes molhes de granito retangulares e erguidos a prumo, como ameias de uma fortaleza. Aí, como se houvesse esgotado o alento, vacilou, respirou com força; soltou um surdo gemido doloroso, e caiu aniquilado, contemplando com os grandes olhos súplices, o velho que puxava o cabresto para lhe suspender a cabeça, ao passo que a moça tentava erguê-lo pela cauda.

— Aliviemo-lo da carga — ordenou o velho — Está afrontado, pobre Macaco... Também há três dias que nem retraços tem comido.

O caminho estava desobstruído e franco; mas Teresinha apiedada do pobre animal, estacara trêmula e lívida, cosida aos rochedos, numa postura de horror, pregando o olhar esgazeado no grupo sugestivo, a poucos passos de distância.

— Macaco! Será possível! — gaguejou ela, espavorida.

Vendo-a ali parada, a mocinha se dirigiu a ela:

— Minha senhora, faça a esmola de nos dar uma mãozinha para tirarmos a carga daquele pobre.

— Maria da Graça! — bradou Teresinha.

— Sa dona conhece-me? Minha Nossa Senhora!... É... é...

Maria recuou, transida de susto, mal confiando nos seus olhos.

— Que é?... — perguntaram, a um tempo, os dois velhos, muito empenhados em tirar o oratório de cima do burro, imóvel, estirado no chão.

— É... é a Teresa — respondeu a mocinha, com um grande gesto de espanto.

— Teresa! minha filhinha!... — exclamou a velha, num grito de surpresa alegre, no qual retumbava a ternura toda do coração de mãe. — Tu!... tu aqui?

E, atirando-se à filha, enlaçou-a nos braços, beijando-a com apaixonado frenesi na face, na fronte, nos cabelos, como quem sacia longa e cruel sede de amor.

Hirta e gelada, desfigurado o rosto por violentas contrações de estupor, e lívida como um morto, Teresinha não pôde fazer um gesto; mas, a carícia maternal lhe agitava todas as febras do coração, e todo o seu corpo tremia convulsionado. Só os olhos espantados, viviam, cintilando com uma lucidez ingênita.

— Teresa, filha da minha alma, — continuou a mãe — Deus te abençoe! Minha Virgem Santíssima, é ela mesma!... Seu Marcos, veja, é a nossa filha!...

O velho erguera-se. As grandes barbas, alvejando à luz do sol poente, davam venerando relevo ao esquálido rosto, macerado, tostado pelo mormaço do sertão. Os pequenos olhos azuis, de um azul de céu empoeirado de neblinas, brilhavam no fundo das órbitas sombrias, com um bruxuleio de lâmpada de santuário. Na postura, nos andrajos e na voz soturna e firme, corporizava a nobreza da miséria resignada, da miséria superior.

— Teresa de Jesus! — murmurou ele, com um suspiro, que lhe assomou aos lábios, como um silvo de tormenta — Já pedi a Deus que perdoasse os seus pecados. Estes santos, que nos acompanham, sabem que rezei por ela, como um pai reza por uma filha ingrata, perdida e morta.

Ao choque destas palavras de condenação implacável, Teresinha cambaleou, e caiu prostrada de dor, nos braços da mãe angustiada.

Maria da Graça contemplava, muito aflita, o pai e a mãe, e, no transe incompreensível, considerava a intensidade da cena, dolorosa, inconsiderável.

— É nossa filha, seu Marcos — continuou a velha, acariciando a filha e conchegando-a ao seio. — Tenha dó dela, meu marido do coração! Veja como está acabada a nossa filhinha!...

— Você sabe, mulher — gemeu Marcos — que já padeci por ela todas as dores deste mundo...

— Também ela tem sofrido... É uma infeliz...

— Infeliz! assim foi de sua vontade...

— Seu Marcos...

— Sabe que mais, mulher? Vamos cuidar deste pobre animal, nosso amigo velho, que não nos abandonou e está aqui morrendo por nossa causa... Ah! os bichos têm, às vezes, mais coração que as criaturas.

— Meu pai! — soluçou Teresinha, como se as duras palavras lhe estrangulassem as entranhas.

Ele, porém, parecia intangível. A súplica da filha, queixumes de alma penitenciada a estorcer-se no cilício da vergonha[1] não ecoou no coração, donde ele arrancara, num paroxismo de opróbio, a poluída imagem da pecadora, que não podia volver a profanar o tabernáculo do culto incondicional à honra e à integridade da família. No peito lhe ficara um buraco lúgubre, o ninho vazio transformado em cova, encerrando, para sempre, um sublime afeto estiolado.

A um gesto imperativo do pai, Maria da Graça, despertada da estupefação que lhe gelava o sangue nas veias, o ajudou a desatar a troixa de redes, as azelhas dos dois baús, cobertos de coiro cru e tauxiados de pregos doirados e, por último, as cilhas da cangalha que, retirada do suarento dorso do burro, lhe expôs as mataduras da espinha, as chagas rubras dos omoplatas, sobre as quais vieram adejar, zumbindo, grandes varejeiras, de asas nacaradas e revestidas de cintilantes coiraças, oxidadas de verde metálico. No espaço voa-

---

[1] *cilício da vergonha*: cilício era um instrumento usado por penitentes para maltratar o corpo e vencer as paixões. Quase sempre tinha a forma de um cinto que podia ser amarrado à cintura ou em outra parte do corpo. Esse cinto continha, na parte de dentro, pregos ou outros objetos pontudos para ferir a pele. A expressão usada pelo autor pretende dizer que a vergonha de Teresinha era tão grande que quase lhe causava dores físicas. (N. E.)

vam, em largas espirais, urubus famintos, dos quais alguns mais ousados se despenhavam, de asas quase fechadas, até perto dos rochedos, onde poisavam, aguardando o abundante repasto da carniça ainda viva.

Macaco, aliviado da carga, tentava erguer-se sobre as pernas dianteiras, rolando um olhar de terror para os lúgubres pássaros, que pontuavam de negro as arestas das rochas; mas, faltavam-lhe as forças e recaía ofegante.

— Se ao menos — dizia Marcos — houvesse por aqui uma pouca d'água e alguns retraços...

Clara, indiferente à sorte do animal, acariciava e consolava a filha desditosa:

— Tem paciência, meu coração. Teu pai tem ímpetos de crueldade, mas passam, porque a alma é de oiro. Coitado! Sofreu tanto por ti...

— Tem razão... tem razão, mamãe — gemia Teresinha. — Sou uma ingrata, uma doida, mas... assim mesmo... não sou tão ruim que mereça menos compaixão que este animal...

E entrou a chorar em convulsão, murmurando frases inteligíveis, que o pranto e os soluços entrecortavam.

— Seu Marcos, meu marido da minha alma — suplicava a mãe. — Tenha pena desta pobre.

— Ah! papai — balbuciou, trêmula, Maria da Graça — tenha compaixão dela... Coitadinha de Teresa...

— Era melhor — resmoneou o velho, abalado pelas lágrimas da mulher e da filha caçula, que era o seu ídolo. — Melhor seria que essa mulher, em vez de estar aí a chorar, ela que conhece a cidade, nos ajudasse, mostrasse que ainda tem préstimo...

Teresinha ergueu-se de repente; enxugou o rosto na saia e partiu. Sabia que Rosa Veado morava perto, no renque de casas da Leonor, e foi procurá-la, seguida pelos olhares da mãe e irmã, tomadas de surpresa, ao passo que o velho teimava em reanimar o burro com palavras afetuosas.

Pouco depois ela voltou, trazendo uma grande cuia cheia d'água. Pressentindo o precioso líquido, Macaco nitriu surdamente, como se sorrisse de satisfação; ergueu a cabeça e, agitando os grandes lábios negros e ávidos, a sorveu, a longos, a ruidosos tragos.

— Deus lhe pague — disse o velho, restituindo a Teresinha, a cuia vazia. — Disseram-me que era possível encontrar aqui uma pousada, um tecto caridoso, onde pudéssemos descansar da viagem através désse sertão ingrato.

— Deram-me — balbuciou Teresinha, hesitante de medo — a chave daquela casa, a casa da fortaleza, onde ninguém mora há muitos anos, porque é mal-assombrada...

— Virgem Maria!... Credo! — exclamaram Maria da Graça e Clara, numas projeções espavoridas de olhos sobre a velha casa desaprumada, cujas paredes, esburacadas e marcadas de grandes chagas de reboco, pareciam apoiadas nos rochedos. Ervas mortas pendiam das goteiras desdentadas, donde esguichavam piando, em desordenado vôo, grandes morcegos, estonteados pela tênue luz crepuscular.

Pouco depois, o grupo estava cercado de moradores da vizinhança, cada qual mais curioso e empenhado em socorrê-lo. Vieram em seguida, e quase sobre os passos de Teresinha, Rosa Veado e o Chico, um guapo tipo de homem; a Marciana que mantinha, nas proximidades, uma bodega bem sortida e possuía já algumas libras de oiro em obra, comprado aos retirantes a troco de gêneros alimentícios; e, esgueirando-se por entre os circunstantes, o bando infalível, barulhento de meninos, os mais pequenos nus, os outros enrolados em trapos, em molambos.

— Anda, Francisco — ordenou Rosa ao filho — dá um adjutório a estas criaturas... Abre a casa; leva as malas...

— Amanhã — exclamaram os meninos, tripudiando em volta do burro — urubus têm festas! Este mesmo está aqui e está no céu das formigas!...

Rosa Veado tomou o oratório; beijou-o, com reverência, que outras mulheres, outras devotas, imitaram, silenciosamente.

— O senhor — observou ela ao velho Marcos — tem coragem. Eu não passava a noite naquela casa amaldiçoada, nem que me matassem.

— Eu só tenho medo dos vivos — ponderou o velho.

— É que vossa mercê não sabe o que nela se tem dado, coisas de arrepiar coiro e cabelo...

— Que me importa visagens e almas do outro mundo, ou artes do demônio? Por ora, eu careço, que me arranjem alguma coisa para matar a fome deste animal...

— Não é difícil — atalhou Marciana. — Mas, o senhor deve saber que o milho está pela hora da morte...

— Ainda tenho meios, graças a Deus, e, além da paga, ficaria agradecido.

Marcos desatou da cintura uma faixa elástica, tecida de algodão, e tirou dela alguns patacões de prata. À vista das moedas, desapareceram as hesitações de Marciana, que se desmanchou logo em cumprimentos e palavras de pesar pela sorte da família e prometeu provê-la, sem demora, do necessário, preparando a casa mal-assombrada para aboletá-la com a possível comodidade naquela noite.

Não era raro aparecerem, entre os retirantes, famílias abastadas que haviam abandonado os lares, levando dinheiro e jóias sem valor por não terem o que comprar, mesmo a preços exorbitantes. Marcos, depois de inútil resistência, viu-se nessa triste situação. De esperança em esperança de mudança de tempo, vira os gados morrerem nos campos devastados; consumira, com parcimônia cautelosa, as provisões acumuladas, os surrões de farinha de mandioca, os paiós de milho, arroz em casca e feijão; as matalotagens em salmoira ou empilhadas se esgotaram por encanto, porque não tivera coragem de recusar esmola aos famintos que passavam pela sua fazenda. Os vaqueiros, agregados e pessoal de fábrica, empregados na labutação de criadores e agricultores, na maioria escravos velhos e crias de casa, não tinham que fazer; eram bocas inúteis. Alforriou-os; deu-lhes liberdade para ganharem a vida.

Cansado de resistir e lutar, aguardando, em vão, sinais de inverno, viu-se, afinal, só, sem um amigo, um companheiro, um vizinho, numa redondeza de dez léguas, exposto aos assaltos de bandidos, que enchiam a região, e resolveu emigrar. Arrumou em algumas malas o indispensável, a roupa da família e algum dinheiro, enterrando o resto com a prataria, velha baixela e jóias numa brenha de serrotes ásperos e pedregosos. Organizou o comboio com três burros e outros tantos cavalos de sela, e partiu na direção de Sobral, a cidade intelectual, rica e populosa, empório do comércio do norte da província, na qual o Governo estabelecera opulentos celeiros.

Na longa e penosa travessia, à falta d'água e pasto, morreram os cavalos, depois dois burros. Foi forçado a abandonar malas, reduzir as cargas a uma só para que Macaco, o animal sobrevivente, a pudesse agüentar. Pela primeira vez na vida, tiveram de viajar a pé, a curtas jornadas, para não fatigarem o animal e poderem suportar, sem se estropiarem, a penosa marcha de exílio.

Muita vez, arranchados à sombra de oiticicas frondosas, oferecera um patacão por uma cuia d'água. Os raros bebedoiros subsistentes ficavam longe da estrada real; era preciso fazer enormes desvios para os alcançar. Cortava-lhe o coração ver a filha, a meiga Maria da Graça, descorado o rosto de criança na moldura dos cabelos de oiro, rendido o frágil corpo, os pezinhos dilacerados pelas agruras dos caminhos e veredas, os rubros lábios ressequidos e rachados, as entranhas devoradas pela sede, adormecer no regaço da mãe, também mortificada, mas resistindo resignada, com esse valor divino que torna invencíveis as mães aflitas.

Ele sofria a tortura inigualável de não a poder socorrer, mesmo com o sangue de suas veias; de pedir, em vão, ao céu luminoso, impassível, sorridente, a gota de orvalho que alentasse aquele lírio, nascido nas ruínas de sua alma, a vergar emurchecido, tostado pelo sol inexorável, quando, no delírio da febre, a pobrezinha, com ânsia, balbuciava: "Água... água, papai!"; e ele via dos olhos da mãe, resignada e heróica, a implorar misericórdia ao Deus de amor e justiça, por intercessão daqueles santos companheiros de infortúnio, rolarem grossas lágrimas silenciosas.

Quando algum comboieiro lhe cedia, de graça, a metade da sua *borracha* d'água salobra, recusando a pródiga paga por não ter ânimo de vendê-la a cristãos, Marcos, superior às dores físicas, sorria de alegria de ver saciadas e salvas da morte horrível as criaturas idolatradas e o fiel animal, e apenas umedecia os lábios e sentia alentarem-se-lhe as indômitas energias para chegar ao termo da dolorosa viagem pelo sertão combusto.

— Deus é grande! — exclamava, em arroubos de fé inquebrantável. — Coragem, mulher, ânimo filhinha!... Vamos para adiante, parar aqui é morrer!... Mais alguns dias, estaremos salvos!...

A salvação estava em Sobral, na cidade formosa e opulenta, o oásis hospitaleiro anelado pelas caravanas de pegureiros esquálidos.

E chegaram, padecendo todas as inclemências da jornada, caminhando à noite para evitarem a torreira do sol. Por inculcas, souberam que no subúrbio da cidade, poderiam encontrar um rancho, modesto abrigo, onde pudessem esperar dias menos aflitivos.

A casa mal-assombrada era quase uma tapera. O repuxo das

paredes; os esteios esconsos, cobertos de colmeias abandonadas; o tecto, velado sob empoeiradas colgaduras de teia de aranha; o telhado desfalcado, invadido de ervas mortas; as portas emperradas e o chão, aluído por túneis de formigueiros, sinalavam longo abandono. Essa vivenda maldita, preservada pela superstição, estivera sempre fechada. Ninguém lhe conhecia já o proprietário, cujo procurador, morto havia muitos anos, deixara a chave à custódia de Marciana.

Ao penetrar no asilo de duendes, onde se ouviam, à noite, gemidos lancinantes, rumores de correntes arrastadas, assobios diabólicos, Rosa Veado, que se encarregara de prepará-la para aboletar os hóspedes, persignou-se, balbuciou uma Ave-Maria e acostou-se às outras mulheres, apiedadas da família de Marcos. Mal acenderam a vela, uma coruja espantada esvoaçou, gaguejando pavorosa gargalhada de louco, e enormes vampiros agitaram a luz, o ar deslocado pelo remígio das grandes asas desvairadas.

— Credo! — gritaram as mulheres, recuando de medo. — Te desconjuro, pé-de-pato!

Passado o susto, entraram e vasculharam, num instante, a sala, impregnada de forte cheiro de estrume de morcego.

Uma levou as redes e as atou aos cantos nos armadores enferrujados; outra sobraçou, reverente, o oratório que foi colocado sobre uma das malas conduzidas pelo Chico, que foi depois à venda da Marciana buscar um pote d'água e um caneco de folha-de-Flandres novo. Apareceu, por sua vez, a bodegueira, trazendo um bule com café, três casais de xícaras de ruim louça, esmaltada de flores vermelhas, um pires com açúcar escuro mascavado[1], e algumas roscas e bolachas, duras como pedra.

— Aí está, seu capitão — disse ela a Marcos — Já tem onde encostar o corpo e o que foi possível arranjar para entreter a barriga. Até amanhã. Vossa senhoria deve ter o corpo pedindo rede... Com Deus amanheça. Se percisar de alguma coisa, é só bater na derradeira porta da esquina.

Marcos contemplava, penalizado, o burro, que Teresinha alimentava com punhados de milho amolecido; tomou Maria da Graça pela mão, e recolheu-se.

— Vai dormir, filhinha...

— E mamãe?

— Está com a outra, tratando o Macaco. Virá mais tarde.

Clara ficara ao lado da filha infeliz, amimando-lhe os cabelos, dirigindo-lhe palavras de amor e conforto, e recomendando-lhe que suportasse, com paciência, as explosões da cólera paterna, até conseguir ser abençoada.

— Ele tem razão, mamãe — balbuciava a moça, com voz embargada pelo hercúleo esforço para conter o pranto. — É o castigo, castigo merecido pelos meus pecados, que são muitos. Não peço que me perdoe, mas tenho padecido tanto com o abandono, que não po-

[1] *açúcar escuro mascavado*: açúcar grosseiro, impuro, de qualidade inferior. (N. E.)

derei mais viver sozinha no mundo. Rogue a papai que não me bote para fora de casa. Embora não me tenha mais como filha, porque morri para ele, deixe que eu fique, como negra cativa. Tratarei o Macaco, carregarei água, tomando conta da cozinha, da roupa, pois não me desprezo de fazer todo o serviço.

— Sei que não és má, filha do coração. Foi aquele malvado, meu Deus perdoai-me, que te botou a perder... Eras uma criança...

— Não o culpe, mamãe. Cazuza era bom e me quis bem até morrer. Só depois de ficar sem ele foi que me senti na desgraça, por não ter vivalma caridosa que me amparasse.

— Por que não voltaste?

— Tive medo e... vergonha. Faltou-me coragem para afrontar a ira do papai...

Passaram as duas horas conversando, e alimentando, aos poucos, o precioso muar desfalecido. Por fim, teve Clara de obedecer aos repetidos chamados do marido para não o exasperar.

— Anda — disse ela. — Teu pai já está impaciente. Vem comigo.

— Não preciso de descanso. Vá, mamãe, que ficarei vigiando este pobre.

Clara imprimiu-lhe na fronte um longo beijo, e partiu, murmurando: Pobre filha! Deus te abençoe. Parece que lhe quero ainda mais por ser infeliz.

O rígido velho, curtido de preconceitos e fechado o coração nas resoluções inabaláveis, como num túmulo, não podia conciliar o sono. A espaços, erguia-se da rede, ia à porta, sempre aberta; contemplava a filha culpada, acocorada ao lado do burro enfermo; e, no misterioso silêncio da noite estrelada, ouvia um murmúrio dolente, um estertor de fonte, que se estanca, o pranto de Teresinha velando o animal para que os urubus, postados nas arestas dos rochedos, como vedetas sinistras, não o devorassem vivo.

XXV

COM irrepressível impaciência, esperou Luzia que algum dos raros conhecidos lhe trouxesse as últimas notícias dos acontecimentos do dia. A cada momento, se lhe afiguravam vultos de homem, esboçados nos cúmulos da poeira, que o vento rijo da tarde revolvia, em rodomoinhos, pela estrada, como um sinal do vento baixo, rasteiro, sinal de seca. Talvez Alexandre livre, remido da infâmia, radiante de ternura a lhe sorrir com amor. Tinha estremecimentos de júbilos comedidos; a efêmera visão fugia com as colunas de pó desfeitas, e a pobre recaía desiludida numa dolorosa apatia de quem espera em vão.

Ninguém aparecia. Alexandre, cheio de brio, magoado pela crueza com que ela o tratara, não viria, contido pelo mesmo propósito que a condenava a estar ali, a estorcer-se em voluntário suplício, estimulada de fútil obstinação em resistir ao impulso de correr a recebê-lo no limiar do cárcere.

Nem vivalma. Estavam todos, àquela hora, recebendo, em ração, o salário da semana, pago aos sábados, nos postos de distribuição de socorros, ou na obra da penitenciária. Ela via as suas meninas amadas, Quinotinha e outras da tenda de costuras, sobraçando saquinhos cheios de víveres; as suas companheiras de trabalho aguardando a chamada, a tagarelarem com a garridice de maracanãs nos roçados; outras tristes, desconsoladas, recebendo os quinhões que deveriam passar às mãos de atravessadores, em paga de adiantamentos usurários; muitas agrupadas em torno da figura hercúlea, vermelha e ruiva de Raulino Uchoa, com a distinção de tipo de outra raça, entre os ouvintes, emaciados de privações, minados pelos tóxicos das raízes de mucunã, de pau-mocó, esboroadas em farinha. Ele costumava *matar o tempo* com a narrativa pinturesca das façanhas inverossímeis de amansador de animais bravios, orelhudos que nunca tinham visto gente, as áfricas de vaqueiro de fama, temido dos barbatões mais ferozes das catingas e carrascões impenetráveis, as proezas de caçadas de onças acuadas em furnas sombrias, onde ele as agredia, armado de uma simples azagaia.. Contava das viagens extraordinárias, aventurosas pelo sertão inundado, da intrepidez com que afrontava o ímpeto dos rios desbordantes, nadando em cavaletes de molungu no tempo — até parecia sonho — em que Deus ainda se lembrava, piedoso, do Ceará, para dar-lhe chuvas copiosas e fertilizadoras dos campos, trombas d'água devastadoras, rotas nas cumeadas das serras, descendo em catadupas raivosas, invencíveis, pelos telhados, encostas verdejantes, arrastando rochedos, árvores, plantações, até se espraiarem na planície, à maneira de um mar, arrombando açudes, soterrando bebedoiros, cavados durante a seca. Descrevia com a linguagem fantasiosa, ardente, de vigoroso colorido, com as imagens vivas, sugestivas do rude estilo sertanejo, o fragor das correntes raivosas, de concerto com o ribombo ininterrupto da trovoada, o relampear das nuvens negras e maciças, os ziguezagues fulvos a riscarem o céu, com letras cabalísticas, ameaçadoras, traçadas pela ira de Deus; o estrondo horrível dos coriscos, o pavor do gado, haurindo, a largos sorvos, o ar saturado de ozona, reunido, em magotes, nos cômoros da planície encharcada.

Presos aos lábios do narrador imaginoso, os retirantes mal continham lágrimas, ouvindo-o evocar, entre episódios da vida sertaneja, fatos e coisas, dons do céu, para sempre perdidos, água, verdura, roçados, safras opimas, alegria e fartura, cortados os corações pela amarga saudade de recordar tempos felizes.

Luzia meditava, fitos os olhos, com uns gestos de sufocado pranto, nas rubras chamas vacilantes, desprendidas dos tições, quase apagados, espevitadas pelo vento e crepitando nuns feixes de centelhas intermitentes.

— Ninguém — murmurou ela, magoada pelo abandono — Nem vivalma! E Teresinha? Que será feito daquela cabeça de vento? Onde se meteria? Nem pensa em mim, que a espero... Ah! se ela soubesse... Qual... está com ele, e eu, coitada de mim...

Cada vez mais espessa, a nebrina da tarde, com uns restos de calor, entrava a redondeza. Casas, árvores mortas confundiam-se desconformes, no esboço da paisagem, esfumada em claro-escuro.

As manchas das sombras alastravam, como um líquido negro, devorando os tons luminosos. No céu, puríssimo, piscavam, espertas, álacres, como uns pequeninos olhos, estrelas e constelações. Papa-ceia[1], o astro da melancolia, librava-se no poente ainda claro, como lúcida lágrima, mensageira da dor ignota, oculta nas profundezas misteriosas do espaço, tremeluzia prateada como pólo das esperanças e das mágoas dos tristes, e parecia vacilar atraída pelo sol, atufado em nuvens purpúreas.

Pela estrada, abeirada à casa, passavam mulheres e meninos conduzindo as rações. Vinham da cidade ou do morro do curral do Açougue; deviam de saber de Alexandre e Teresinha, mas Luzia não ousou interrogá-los. Apareceu, depois, Romana à frente do grupo de bandoleiras desenvoltas. A roliça cabocla, de dentes aculeados não ria dessa vez. Lamentava, com as outras, a sorte de Crapiúna, que se desgraçara, apanhado na arapuca armada ao outro. Metia-lhes intenso dó o Belota, tão bom para elas, uma vítima da amizade, ou das más companhias. Nada diziam em defesa de Crapiúna; consideravam, entretanto, injustiça prenderem o outro, homem incapaz de fazer mal e sempre bem procedido no serviço. Só tinha o defeito de jogar, mas o Governo devia saber que ele não se podia manter com o reles soldo; era homem como os paisanos. Ninguém vive enchendo a barriga de vento como os camaleões.

— Olha a Luzia! — observou uma — Nem parece que o homem dela foi solto!

— Vote! — atalhou outra — A modos que estaria mais alegre se ele ficasse na cadeia toda a vida.

— Qual o quê! — ponderou Romana. — Aquilo é soberbia. Quer mostrar que não faz caso de nada neste mundo. Impáfia ali é mata. Deixa estar que há de ser castigada.

— Aquilo, mulher, é calibre do sangue. Nem o demônio tira. Por isso é que vive sempre apartada das outras, metida com ela cheia de coisas como se fora uma senhora dona.

— Conheço muitas mais melhores que não se desprezam de tratar bem e falar com a gente.

— Só a Teresinha lhe caiu em graça. As duas se entendem. Deus as fez...

Esses comentários eram feitos em voz alta, para que Luzia os ouvisse; esta, porém, minada embora de rancor surdo a Romana que não a poupava com insinuações perversas, duma ironia picante, e passava por ali de propósito para molestá-la, fingia não ouvir, resistindo ao impulso de assaltá-la, arrancar-lhe a língua danada, esmagá-la aos pés, como réptil nojento e venenoso.

O grupo desapareceu. Passaram depois desconhecidos que, confundidos ao lusco-fusco, a saudavam com boa noite.

A velha mãe reclamava os seus cuidados, para iluminar o quarto e dar-lhe o remédio, que, abaixo de Deus, a salvara.

— Tiveste notícias de Alexandre? — perguntou-lhe ela, interrompendo o terço, rezado a meia voz.

---

[1] *Papa-ceia*: nome popular da estrela Vésper. (N. E.)

— Não — respondeu Luzia, com fingida indiferença — Depois de saber que estava solto, fiquei descansada... tirei dele o juízo...

— E Teresinha?

— Sei lá!...

— Estou tão acostumada com ela, que já lhe sinto a falta quando se demora...

— Ainda é cedo. Virá quando a lua sair...

— Sabes que mais, filha? Acho-te hoje tão mudada!

— É que estou maginando no que devemos fazer, agora que não temos já obrigação de velar por ele. O coração me pede que vamos embora; mas não podemos. Não há remédio senão ficarmos. Será como Deus quiser. Eu terei sempre forças para trabalhar e viver... sem ser pesada a ninguém, apesar de me desprezarem e fazerem pouco de mim.

— Não fales assim, filha. Os fortes também enfraquecem quando Deus os desampara.

— Deus! Deus já não se lembra de nós, que somos cristãos, que o adoramos e amamos...

— Tem fé nele, que é pai de misericórdia.

— Para falar a verdade, mãezinha, eu, às vezes, não acredito em nada. A desgraça endurece o coração. Por causa dela, os pais abandonam os filhos; maridos desprezam as mulheres e as criaturas viram bichos, ou ficam piores que eles. Para o fim do mundo, só falta que as mulheres não tenham mais filhos, pois já ninguém ama.

— E eu que pensava...

— Em quê?

— Não te quero pôr de confissão, mas... sempre desejava saber se Alexandre nunca te falou em casamento.

— A mim?

— Pensei que se engraçara de ti. Fiquei com a mosca na orelha desde aquele mimo dos cravos.

— Os cravos! É verdade que, um dia, ele me disse: "se casássemos, iríamos viver juntos em uma casinha da ladeira da Mata-fresca." Não respondi sim, nem não. Depois apareceu o impute, e foi preso. Sofri mais com essa desgraça do que ele; até parecia que todos me olhavam como ladra, e só o abandonei quando suspeitei que era igual aos outros homens, queria bem a outra e me enganava cruelmente. À última vez que vi ele, deixei-lhe os cravos na grade da cadeia. Essas pobres flores, guardadas no meu seio, como um breve milagroso, não podiam mais ficar comigo. Ele que as desse a outra. Mais tarde arrependi-me: revoltei-me contra esse ciúme à-toa, que não me envergonhava, porque as mulheres ricas também se enciumam; mas era uma fraqueza. Tive ímpetos de pedir-lhe perdão. Uma voz, que vinha daqui, do coração, aconselhava que eu quebrasse a teima de abandoná-lo e fugir dele... Seria rebaixar-me, fazer como essas que continuam a querer bem ao homem que as despreza, surra e maltrata; seria contra o meu gênio de não dar o braço a torcer, de não dar parte de fraca, de sofrer calada.

— E é por isso que tens andado capionga? Ah! coração de mãe adivinha.

— Era...

— Pois foi muito feia ação desconfiar dele.

— A gente não suspeita por querer.

— Quando se quer de verdade, não há suspeita que entre no coração. Eu nunca maldei do defunto teu pai, quando ele passava meses ausente, comprando garrotes no Piauí. Só pensava que poderia apanhar moléstias, morrer sem confissão e em não estar eu a seu lado para tratar dele.

— Era seu marido. Alexandre não é nada meu. Ninguém me tira da cabeça que, agora, limpo de pena e culpa e por ser bom, caridoso e bonito homem, todas as mulheres querem bem a ele. Homem que sofre é, comparando mal, como Jesus Cristo. As mulheres andam atrás dele [1].

Houve, então, longa pausa. Nos pequeninos olhos parados da velha, desanimados, demorava uma funda impressão de surpresa, com um brilho gasto de mágoa.

— Além disso — continuou Luzia, com um ligeiro movimento dos ombros — Elas têm o mesmo direito que eu. Mas não me conformo... Pode mais do que a minha vontade essa suspeita, que me põe o coração escuro e mau... Sabe, mãezinha, em que estou pensando agora?... Um horror, que até tenho vergonha de dizer... Antes uma boa morte que descobrir a outra pessoa o que me passa pela mente... Olhe...

E sussurrou, com voz soturna, como um sopro de cansaço, ao ouvido da velha:

— Imagino que, neste momento ele está com Teresinha...

— Credo! filha!

— É um horror, não é?... Parece que estou vendo eles juntos, alegres e satisfeitos. Ele todo agradecimentos; ela cheia de si... Sim, porque se está solto a ela o deve... Ela tem direito à recompensa. É justo que não se lembrem de mim...

— Que maldade, filha de minha alma...

— Sim, como não hei de ser má, de ter más entranhas, se uma cobra venenosa me morde o coração! E sou culpada de tudo por ser desconfiada... soberba... maldita... Luzia-Homem é o que eu sou... uma bruta desalmada...

— Que coisa sem pé nem cabeça? Estou estranhando isso... Sossega... Teresinha, tão boa para nós, não tarda aí, quando a lua nascer.

— Veja aquele clarão... Já está fora.

— Ela foi cheia tresantonte. Aquilo é fogo no pasto.

Havia, com efeito, no horizonte, um clarão de incêndio, onde surgia, lentamente, um enorme disco.

— Qual — exclamou Luzia, com uns gestos violentos, e um

---

[1] Cristo era seguido, por toda parte, pelas piedosas mulheres que o serviam e ouviam sua doutrina. Entre elas estava sua mãe. A comparação só vale por seu primarismo. Chega a ser grosseira. Porém, é esse primarismo uma característica que Domingos Olímpio tenta ressaltar naquelas pessoas que viviam à margem do progresso e da cultura. (N. E.)

amargo tom de sarcasmo — Aquela mesma? Onde está, está muito bem... gozando o que muito lhe custou ganhar... Não se me dava de apostar...

— Não faças juízo à toa — disse a velha, com energia — maldando da outra...

— Não maldo por querer. É uma coisa que me vem à cabeça e que me tira o juízo... Ah! Eu não era assim. Não era. Em nada pensava, nada tinha, que me afligisse ou me tirasse noites de sono. Não fora o seu puxado, vivia sossegada, pensando somente no dia d'amanhã, em ganhar a vida. Era feliz, consolada com a minha sorte.

— Não eras, não. Nunca te vi assim... São repiquetes de mau gênio que passam depressa. Agora, se não te dás bem aqui, se te sentes mal, iremos, como querias, para as praias. Raulino irá conosco...

— Para a praia! Não vou mais, não... posso. Hei de ficar aqui até quando Deus permitir... Até... morrer. Quem sabe?

— Aí está! Não te entendo. Há bocadinho, falavas nessa viagem que não te saía da cabeça... Agora...

— Pensei melhor.

— Qual, filha! Andas tão atarantada que já não pensas coisa com coisa.

— É mesmo, mãezinha. Até parece que estou lesa. Ah! se eu pudesse esquecer tudo como se fora um sonho, desses que a gente dá graças a Deus e cria alma nova, quando se acabam... ou se desperta...

— Tu estás, mas é muito alterada. Vem dormir, anda, que Teresinha rebenta por aí sem demora, e as duas vão levar a noite grazinando como duas amigas.

A velha Josefa benzeu-se ao terminar o terço, interrompido pelo diálogo com a filha. Ergueu-se apoiada ao portal, e gemendo, tanto lhe custava distender as articulações emperradas; e, arrastando as grandes chinelas, dirigiu-se, claudicante, para a rede. O quarto estava iluminado pela candeia mortiça, crepitando na cantoneira, asseado, muito arrumado; as malas encostadas à parede, duas redes armadas nos ângulos, e, no chão, a esteira de Teresinha, a pele de carneiro, um simples tapete para se não resfriarem os pés da enferma. De uma corda, pendiam várias peças de roupa.

— Deixa-me — disse a velha, arfando de fadiga e afastando a filha que pretendia ajudá-la. — Deixa-me andar sozinha para experimentar as minhas forças. Se me acostumo a estar sentada e a andar pelas mãos dos outros, fico mesmo enferrujada de todo... Ah! Se Nossa Senhora me tirasse esta canseira, podia eu dizer que estava sarada... Isto vai devagarinho... Moléstia é como preaca de frecha: entra no corpo de repente, e custa a sair.

— Tenho fé — disse Luzia, mais calma e com meiguice, abrindo a rede para que ela se sentasse — isto vai passar.

Quem a viu e quem a vê, nota logo grande melhora.

— Tenho esperança de rolar mais alguns dias por este mundo,

e só peço a Deus que me não faça sofrer, quando chegar a minha hora. Bem sei que não hei de ficar para semente... Tu, que és o meu sangue, tomarás o meu lugar, sendo o que eu fui, uma mulher de bem, trabalhadeira e temente a Deus.

— Não fale nisso.

— Como não falar, se não me sai da cabeça o pensamento de morrer, deixando-te sozinha, sem encosto, sem proteção.

— Quando tal acontecesse, quando Deus me castigasse com essa desgraça, eu teria coragem para suportá-la. O trabalho não mete medo a Luzia-Homem.

— Bate na boca, filha. Luzia, mulher e bem mulher, fraca como as outras, é o que tu és.

Ela sentia a verdade das palavras da mãe. A ansiedade, as dúvidas, as suspeitas cruéis em tumulto absurdo e monstruoso comprovavam a sua debilidade de mulher amorosa. Compreendia, então, a perversidade de Gabrina, vingando-se de Alexandre por meio da declaração falsa; compreendia por que havia mulheres criminosas, que se rebaixavam satisfeitas, que se depravavam despudoradas, arrojadas, por impulsos de paixão irresistível, fora da senda do dever, olvidando honra, família e o decoro, que é o esmalte das almas boas, para tombarem, desfigurados o corpo e a alma, até à lama do enxurro humano, como nojentos dejetos do vício.

Havia, entre essas míseras, culpadas por depravação moral, desviadas pela educação, contaminadas pelo contágio do exemplo. A enorme maioria, porém, era de inconscientes, sem imputação, dignas de perdão como pensava ela, que não podia expungir do coração os maus instintos, que o dominavam e ali grelavam, como ervas daninhas, à sombra propícia da suspeita e do despeito. E Luzia que padecera pela prisão do homem amado, que sentira nas próprias carnes o estigma com que o pretendiam marcar, que seria capaz de fazer por ele o extremo sacrifício da própria vida, seria capaz de estrangulá-lo, de arrancar-lhe as entranhas, de cevar-se no seu sangue, à simples idéia de vê-lo nos braços de outra mulher.

— Eu morreria descansada — disse a mãe, suspirando — se te deixasse casada com Alexandre, que seria incapaz de te dar má vida.

— Casada! — retrucou a filha, arrancada, de súbito, às tristes idéias. — Quem quererá se casar comigo?...

— Não digas semelhante coisa, tamanhas asneiras... A mim, me palpita o coração que amanhã terás vergonha dessas suspeitas, porque Alexandre virá e tudo passará, como se nada houvesse acontecido. Tu, então, arrependida, reconhecerás que, quando moça está influída para casar, não tem o juízo assente; vê tudo pelo avesso, de pernas para o ar, e fica mouca aos conselhos. No meu tempo, as raparigas não pensavam nisso; quando davam fé estavam na igreja com o moço escolhido pelos pais. Hoje, está tudo mudado... Meninas, que ainda cheiram a cueiros, já têm opinião e caprichos como qualquer mulher feita. Deus louvado, sempre foste muito bem procedida e obediente. Veio-te, agora, essa influência de querer bem... Já não veio sem tempo... já tardava e não tem nada de mal; mas, é preciso ter juízo para não desmanchar o que está tão bem principiado. Vê bem o que te digo; deixa-te de histórias e teimas. Se procurares com uma candeia, não encontrarás outro tão do meu gosto.

— E se ele não me falar mais em casamento?

— Paciência! É porque não tinha de ser.

— E eu?...

— Tu!... Pois não és mulher forte, capaz de viver sozinha, sem ser pesada a ninguém, trabalhando para comer?... Não és Luzia--Homem?...

— Eu não sou nada — murmurou Luzia, abraçando a mãe e escondendo-a quase na onda de cabelos revoltos. — Sou uma infeliz, que está sendo castigada, sou uma doida, que não sabe o que faz... Perdoe-me, mãezinha da minha alma...

— Ai que me tiras o fôlego — gemeu a velha, sufocada pela veemente carícia da filha. — Não reparas que só tenho de gente a figura com a pele sobre os ossos? Deixa estar que tudo há de sair bem, se Deus não mandar o contrário... Dá-me outra colher de remédio. Quero ver se pego no sono. Fecha a porta e vem dormir.

— E Teresinha?

— Deixa estar que ela não se perde. Sabe de olhos fechados o caminho da casa.

— Tem razão, mãezinha. O melhor é esperar sossegada o que tem de acontecer.

Depois de dar o remédio à mãe e accmodá-la para passar a noite, Luzia saiu ao terreiro a passear em roda da casa, a contemplar a lua, que ascendia em pleno esplendor. Interrogou o céu e a terra, silenciosos, impassíveis; espreitou em todas as direções, até aonde a sua vista alcançava, e prescrutou os mais leves rumores que a viração lhe trazia em rajadas violentas. Nada correspondia à sua ansiedade. A solidão lhe recusava alento às débeis esperanças e conforto às mágoas, que os conselhos maternais não conseguiram aplacar de todo. Entretanto, a confidência à mãe idolatrada, fora um transbordamento salutar, e ela experimentava a sensação de desafogo, como se o coração, libertado de cruciante aperto, pudesse pulsar sem se contentar em estreito âmbito. Ligeiro torpor lhe invadia os membros, que ela tentava em vão estimular, distendendo-os em contorções preguiçosas a lhe desenharem, com harmonioso relevo, as linhas vigorosas, exuberantes de graça.

— Não teimes em esperar, filha — observou a mãe — até fora de horas. — Anda, e fecha bem a porta. Eu não descanso enquanto estiveres aí a rondar de um lado para outro, como quem está malucando.

— Amanhã é domingo, mãezinha. O luar está tão bonito que a gente tem pena de se deitar. Parece dia...

— Que horas são?

— O Setestrelo já está alto e as Três Marias[1] estão descambando. Ainda agorinha tive um susto! Correu uma zelação, que parecia uma tocha.

— Deus a guie. É sinal de desgraça. Anda, anda, vem para dentro, que a friagem te pode fazer mal.

Luzia obedeceu. Depois de fechar a porta, tomou a bênção à mãe; e, desatando os cordões da saia branca, estirou-se, extenuada, na esteira, onde Teresinha dormira tantas noites. E, todavia, mole de fadiga, não pôde conciliar, calmamente, o sono. Torcia-se, mudava de postura, como se o seu corpo robusto excedesse ao molde ali deixado pela amiga ausente, cuja recordação, engastada em seu cérebro, era o carvão da suspeita, comburente, agora, em brasa de remorso.

Ela imitava as desenvolturas da outra, da criatura dedicada, que renunciara a todos os seus hábitos para participar, com a placidez de uma consciência satisfeita, da pobreza e das tristezas daquele mísero lar. Julgava ouvir passos cautelosos, abafados pelo ruído das folhas agitadas pelo vento, e Teresinha e Alexandre lhe apareciam como espectros, exprobando-lhe a injusta desconfiança, e exigindo reparação. Acusada por si mesma, Luzia não se podia defender; a culpa era demasiado evidente. Abandonada pelas energias musculares, que eram o seu estigma, oberada de vergonha, ela suplicou, em atrição, lhe perdoassem; e, como se um filtro purificador lhe lavasse a alma da mácula do cruel pecado, adormeceu no delicioso enlevo de um sonho de ventura inefável.

XXVI

NÃO acabara Luzia de pentear os cabelos que, depois de vendidos eram tratados com maior carinho, quando chegou Raulino, conduzindo a troixa de mantimentos e uma grande cabaça d'água.

— Muito bom dia, sa Luzia!

— Bom dia, seu Raulino. Você vem hoje carregado.

— É que aumentei a troixa com a cabaça e contrapeso que lhe mandaram.

— Para mim?

— Sinharsim. Meti os pés da rede quando vinham quebrando as barras e maginei que vosmecês estariam carecidas d'água. Como estou morando, agora, na cadeia nova, para botar sentido nas obras, de noite, enchi a cabaça na jarra e fui à cidade receber as rações porque as do armazém da Comissão são melhores e medidas com lavagem. Foi uma lembrança mandada por Deus, porque, chegando lá, topei na porta o Alexandre...

— Alexandre!

[1] *Setestrelo... Três Marias*: o Setestrelo é o grupo das Plêiades na constelação do Touro. Esse nome popular vem da quantidade de estrelas que compõem o grupo: sete. Três Marias é o nome popular do grupo de três estrelas que se encontram em linha reta no centro da constelação de Órion. (N. E.)

— Em carne e osso. Depois de dar-lhe mão de amigo, pedi-lhe que me aviasse depressa para poder eu chegar aqui cedinho. Ele, meio banzeiro, perguntou por vosmecê, pela tia Zefinha e pelos outros conhecidos. Coitado! Está branco, com a cara encerada, que mete dó ver, tão desfeita uma criatura, que vendia saúde...

— Está doente?

— Como quem passou obra de um mês enterrado naquela prisão porca e fedorenta que mais parece um chiqueiro que morada de cristãos.

— É horrível!

— Mas a demora foi dar notícias de vosmecê, ficou ligeiro e alegre que não parecia o mesmo. Mediu... Mediu é um modo de falar: fez a olho, as rações. Era o que a mão dava. Ele por uma banda e eu pela outra. E não fomos mais longe porque já era uma dor de consciência. O homem quer bem a vosmecês mesmo de verdade. Fez perguntas e reperguntas; quis saber do puxado da tia Zefinha; se sa Luzia ainda estava na obra, se passou lá trabalhando o dia de ontem, um horror de coisas que fui respondendo só para dar-lhe gosto. Agora está como quer. Há males que vêm para bem. Melhorou no emprego e recebeu uma dinheirama de coiro e cabelo.

Luzia desembrulhava os gêneros e os arrumava, aparentando indiferença à loquacidade de Raulino, que falava pelos cotovelos. Os sertanejos ladinos são, em geral, admiráveis narradores, de imaginação acesa, fecundos em descrição, cujos menores incidentes são debuxados com vigor.

— Que é isto? — perguntou Luzia, indicando um guardanapo de linho amarrado nas quatro pontas.

— Isto é pães — respondeu Raulino. — Quando eu vinha vindo, a dona do Promotor chamou-me e deu-me essa trouxinha, dizendo por aqui assim: "Leve isto para Luzia, seu Raulino, diga-lhe que estou muito agradecida pelo trabalho da roupa para os pobres, uma perfeição de costura. Diga-lhe mais que apareça: desejo muito ver os meus bonitos cabelos."

Luzia baixou os olhos, e estremeceu ligeiramente.

— Ora, — continuou o sertanejo — eu não entendi bem o que a dona queria dizer, mas fiquei malinando que também gosta, como todo o mundo, dessa sua cabeleira, comparando mal, parecida com as das mães-d'águas encantadas, lavando-se na lagoa em noite de luar, com os cabelos de vara e meia boiando e embaraçando-se nos aguapés cheirosos, como eu vi com estes olhos, que a terra fria há de comer, de uma feita, que eu estava de tocaia, esperando patarrões brabos. A noite estava clara que nem dia. Cansado de esperar e resfriado pela fresca do sereno, passei por uma modorra.

Quando dei fé, ouvi o barulho de um corpo espalhando a água; levei a lazarina à cara, e, pensando que eram os patos, ia papocar fogo. Divulguei, então, o corpo de uma mulher, luzindo molhado e nadando como uma marreca. Ainda fico frio quando me lembro dessa visagem. Os meus cabelos se arrepiam como espinho de cuandu. Quis gritar, mas tinha um nó na garganta. Passou-me uma névoa pelos olhos e deixei cair a espingarda. Quando dei acordo de mim, afirmei bem a vista para ver o que era. A lagoa estava serena como um espelho. Tudo quieto. Só ouvia sapos ateimando: *foi, não foi,* e os cururus roncando. Não quis mais saber de histórias; apanhei a arma e meti o pé na carreira. Só tomei fôlego quando avistei a casa. Sa Luzia a modos que não me acredita?

Luzia sorriu, com branda ironia.

— Pois fique sabendo — continuou Raulino, com muita convicção — que não foi só a mim que ela apareceu. O Isidro, rapaz destemido e caçador de fama, também viu a mãe-d'água de uma feita que estava tarrafeando curimatãs. Por sinal que não apanhou uma triste piaba naquela lagoa, que tinha mais peixe do que água. Voltou da pescaria com as mãos abanando, capiongo, meio leso e contou o caso à noiva, moça (falando com o devido respeito) bonita como uma imagem. Ela ficou desconfiada e quis, por fina força, ir, fora de horas, à lagoa. O rapaz fez todo o possível para tirar-lhe da cabeça semelhante doidice; disse-lhe que era um perigo porque as mães-d'água são ciumentas das moças que estão para casar, que houvera muita desgraça por causa disso; pediu, rogou por tudo quanto havia de mais sagrado. Ela prometeu não ir, mas cada vez mais desconfiada teimou, porque mulher, quando malda, não chega ao moirão com duas razões. Fugiu de casa quando estavam todos recolhidos e foi à lagoa. Não lhe conto nada. Ao amanhecer, deram por falta da moça. Foi um Deus-nos-acuda. Ninguém dava notícias dela. O noivo ficou como um doido; mas, lembrando-se da história da mãe-d'água, pôs-se a rastejar e encontrou o rasto da chinelinha da infeliz, bem marcado no caminho orvalhado.

Acompanhou-o com outras pessoas, também rastejadoras, e foram bater na beira d'água. Estavam maginando no que teria acontecido, quando ouviram uma risada de mangação. Pensaram que era a moça escondida para zombar deles. Bateram o mato em redor, o pacoval, cheio de ninhos de azulões e papa-arroz. Nada. Os passarinhos fugiam espavoridos, e um bando de garças, alvas como capuchos de algodão, voava remando no ar. Os homens olharam uns para os outros sem saberem o que fizessem. O Isidro, mais morto do que vivo, numa aflição de meter dó, encarou n'água como se quisesse ver-lhe o fundo. Quem dera a risada? Aonde fora a moça parar? Onde se escondera? O rasto ali estava provando que ela não voltara para trás...

— Mas... é verdade isso? — inquiriu Luzia, com terror.

— Acredite, como se estivesse vendo. Eu não sou homem de inventar, nem de dizer uma coisa por outra. Ouça o resto. Um vaqueiro velho foi buscar uma cuia, pregou dentro uma vela acesa e largou-a em cima d'água. A cuia vagou à toa, de um lado para outro, conforme assoprava o vento; foi, depois, seguindo para o centro, até que ficou parada, obra de cinqüenta braças de distância. Nisto, o Isidro, num abrir e fechar d'olhos, tirou o gibão de coiro e largou o braço n'água. Chegando ao lugar, onde a cuia estava parada, mergulhou, e... Que horror!... Nem gosto de me lembrar... Num instantinho, voltou à flor d'água; tomou fôlego e mergulhou outra vez... Quando deram fé, ele surgiu com um corpo nos braços e nadou para a terra como um desesperado. Vinha como um bicho feroz, arquejando, enlameado, coberto de ervas e raízes encharcadas. Os outros foram ao seu encontro para ajudá-lo. Trazia a noiva morta. Os olhos azuis da defunta estavam esbugalhados e vidrados. A boca meia aberta, parecia querer falar. Tinha as mãos juntas sobre o peito, aqui, lá nela, e amarradas em nó cego, com as duas tranças de cabelos loiros, compridos como os seus, sa Luzia...

— Que desgraça! Credo! Morreu de ciúmes!...

— Que ciúmes! Foi afogada pela mãe-d'água. A malvada amarrou-lhe as mãos para que a pobre se não pudesse salvar, pois nadava como uma piaba. Era dela a risada que ouviram; ria da sua obra maldita... Depois dessa tragédia, os comboieiros, que navegam para aquelas bandas e passam de noite pela beira da lagoa, ouviram, arrepiados de medo, aquela risada medonha.

— Isso é busão! — disse do quarto a velha, atenta à história.

— Ah! tia Zefa, vosmecê estava acordada?

— Desde madrugada.

— Busão ou não — ponderou Raulino — o caso é verdadeiro. Quando a gente não pode explicar as coisas diz que é busão; mas o fato é que há no oco deste mundo velho muita coisa, que nem doutores, nem padres conhecem. E, com esta, vou andando.

Habituada às histórias extraordinárias do imaginoso sertanejo, Luzia experimentou, todavia, forte abalo, ouvindo a reprodução da lenda, sempre viva nas recordações da infância, dura quadra despercebida, de gozos facilmente olvidados, porque é bem verdade que só o sofrimento tem o poder de cavar na memória sulcos indeléveis. É por isso que há estranho encanto, espécie de amargura e de saudade em exumar tristezas, em reviver lances de desgraça, como narrar crises de moléstia, lutas entre a vida e a morte, os dissabores, as desilusões, as mágoas suportadas com resignação, com heroísmo, que se nos afiguram obstáculos transpostos, vitórias alcançadas contra a fatalidade, os cruéis inimigos ocultos, intangíveis, à maneira das tiranias onipotentes das forças misteriosas que engendram, nas terríveis profundezas do infinito, as calamidades, os cataclismos e os assombrosos fenômenos que assinalam o eterno combate entre o que destrói e o que produz.

— Espere pelo café, seu Raulino — disse Luzia.

— Estava quase requerendo — tornou o sertanejo. Por essa bebida, sou como macaco por banana. No tempo da fartura, eu era capaz de tomar uma canada de café por dia.

— Não viu, por aí, Teresinha?

— Nharnão, pensei que ela estava aqui.

— Esperei-a toda a noite.

— Deixe estar que aquela não se perde com duas razões.

— Sempre estou com cuidado nela.

— O Alexandre disse-me que ela esteve com ele desde que foi solto até à tardinha, quando o deixou com promessa de se encontrarem aqui hoje.

— Aqui! — exclamou Luzia, alvoroçada.

— Sinharsim. Pelo menos, foi o que ouvi da própria boca dele

— afirmou Raulino, tirando uma grande pitada de caco do corrimboque de chifre de carneiro.

— É para dar que pensar — observou a velha.

— O mais certo — considerou Raulino — é ter ela ficado no quarto da Gangorra, pensando, talvez, que, preso Crapiúna, vosmecês não precisassem mais de companhia. Poderiam dormir descansadas sem receio de alguma traição do excomungado.

— Se soubesse onde era a casa, iria buscá-la, tanta falta me faz... Coitada! Aquilo só é ruim para si.

— É pena, sa Luzia, porque ela teve bons princípios e foi bem afamilhada. Mas, caiu-lhe em cima a desgraça. Eu também tive a mesma sorte. Meus avós eram gente de consideração, bem arranjada; e, como me vê, poderia comer em pratos de ouro, se não... Para que lembrar tristezas que não pagam dívidas? Tive currais cheios de vacas de leite; apanhava meus oitenta bezerros por ano; possuía bons cavalos de sela, e o demônio, em figura de mulher, levou tudo. Hoje, ando a trabalhar para não morrer de fome, com vergonha de me dar a conhecer à parentalha que tenho aqui mesmo em Sobral. Fui nascido e criado na ribeira do Jaguaribe. Ainda é do meu sangue essa gente de Xerez. Somos todos Furnas...

— Que feio nome?

— É meio esquisito, mas é de gente muito graúda, de muitas posses e honrarias, espalhada por estes sertões numa parentalha, que nunca mais se acaba, como a gente dos Olhos-d'Água do Pajé, os Rochas e os Cavalcantes...

Agora, vou mesmo que já tocou a primeira vez da missa do dia.

— Se mãezinha tivesse com quem ficar, iria também à missa.

— Não seja essa a dúvida, filha — observou a enferma. — Basta que me deixes ao alcance da mão um caneco d'água.

— E vou mesmo. Há muito que não piso na igreja. É mesmo um pecado...

Raulino despediu-se, sorvendo, com estrépito, outra pitada, e partiu no seu passo de andarilho, bamboleando num chouto mole, miúdo, o corpo erecto e musculoso.

Preparada a refeição da mãe, Luzia ataviou-se, com o seu melhor vestido, um roupão de cassa lisa, que, amarrado à cintura, lhe desenhava as formas graciosas, e saiu na direção da cidade.

Não era a missa um pretexto para sair; mas, ao profundo sentimento religioso se aliava a casquilhice inocente de exibir os belos vestidos, as últimas fantasias da arte decorativa da mulher, importadas do Recife, uns trajes vaporosos de renda e cambraia, feitos com requintes convencidos de elegância, com raro gosto, pelas adoráveis criaturas que os vestiam. Nada havia de censurável em que as moças da cidade, metidas durante toda a semana em casa, ocupadas em trabalhos sedentários de renda e labirinto, se desforrassem desse retraimento nas festas religiosas, celebradas, sempre, com extraordinário esplendor. Imitando à gente rica, Luzia, além do intuito de cumprir um piedoso dever, nutria a esperança de encontrar Teresinha ou Alexandre, obter notícias deles, ou, pelo menos, encurtar a distância que os separava.

Ao passar pela rua do Menino Deus, ela esmoreceu a marcha;

aproximou-se do armazém da Comissão e olhou atentamente para dentro, erguendo-se nas pontas dos pés, para ver, através da multidão de indigentes, aglomerados à porta, a criatura querida.

Quando avistou a cadeia, cujas grades negras estavam cheias de presos emaciados e lívidos, sentiu-se a moça cortada de terror. Crapiúna estava ali dentro, como fera cativa, devorando-a, talvez, naquele momento, com os olhos injetados por uma congestão de cobiça e raiva impotente.

— Moça, ó! moça! — disse um menino que se aproximou dela correndo. — Ali tem um preso que quer falar com vosmecê

Luzia repeliu, com um gesto enérgico de negação, o esperto pequeno, que insistia no chamado, e apressou o passo para distanciar-se da sinistra prisão, onde uma voz rouca e vibrante, como um rugido, a voz de Crapiúna, bradava suplicante, e amaldiçoava:

— Luzia, Luzia!... Meu coração, meu amor da minha alma, tem pena de mim! Perdoa-me pelo amor de Deus! Vem! É um instantinho... Não te farei mal. Vem! Só duas palavras!... Ah! Não me ouves; não queres saber de mim!... Mulher do diabo!... Deixa estar, safada, amaldiçoada, que não ficarei preso toda a vida... Nem que tu vás para o inferno...

O soldado gritava, estorcia-se delirante, agarrado às enormes barras de ferro do portão, brandindo-as, abalando-as com inútil esforço para quebrá-las, arrancá-las dos gonzos chumbados ao portal de granito...

Perseguida pelo eco dos brados de insânia desesperada, ela penetrou no templo, como num abrigo inexpugnável, defeso à maldade humana, à curiosidade vexatória daquela gente que, lá fora, a considerava criatura impassível de coração, e se apiedava do prisioneiro, cuja dor feroz lembrava a simpatia dos grandes infortúnios.

A imensa nave da matriz desbordava de fiéis, amontoados, em confusa massa inquieta, iluminada pelos jorros de crua luz, que se projetavam das arcadas laterais, recentemente rasgadas nas formidáveis paredes de pedra e cal, sobre os mantos alvíssimos das mulheres ajoelhadas. No fundo resplendia a capela-mor, o tabernáculo, esculpido pelo cinzel do mestre João Francisco, o entalhador, com duas séries de elegantes colunas coríntias[1], enleadas de parreira, a vinha do Senhor, e rematadas de folhas de acanto, todas brancas, de figos doirados e sustendo a arquitrave e a curva do arco que emoldurava a grande tela de Bindsay, a Assunção de Nossa Senhora. Mais abaixo, dominando a banqueta de prata maciça e os bustos dos Apóstolos, emergia, dentre palmas, dentre flores, a imagem da Virgem da Conceição, a padroeira da cidade, coroada de oiro, de pedrarias, quase escondida no amplo manto de veludo azul, marchetado de estrelas, bordado com carinho pelas órfãs da Casa de Caridade. As chamas dos círios esmoreciam na suntuosa claridade da manhã, como

---

[1] *colunas coríntias*: são colunas lisas ou com sulcos, dependendo do material de construção. As bases da coluna são, em geral, enfeitadas com folhagens ou cordões. O capitel, parte superior da coluna, também é decorado segundo o uso antigo da cidade de Corinto, na Grécia. (N. E.)

pálidas placas, dissolvendo-se em tênues fios de fumo, a sumirem-se no ambiente saturado de incenso e de um odor agro de cera derretida.

Luzia, sobressaltada pela imprecação minaz do soldado, cujas palavras brutais lhe contundiam o cérebro, pensara encontrar na casa de Deus, aos pés da Mãe Santíssima, refúgio e conforto à sua alma atribulada. Mas, ali mesmo, a perseguia a protérvia da multidão. De pé, hesitante na escolha do lugar para ajoelhar-se, era alvo de olhares, que a lapidavam, trocados entre as mulheres, que desembuchavam a malícia atroz dos ruins sarcasmos. Uma crispação de surpresa, de curiosidade assanhada agitou a onda viva que a cercava. Raparigas e meninas, matronas e velhas, fitaram-na com insistência, imobilizadas de pasmo, e de boca em boca perpassou ininterrupto murmúrio, cochichado de todos os lados:

— É a Luzia!... A Luzia-Homem!...

Prostrada à meia-sombra de um confessionário de jacarandá, salientemente adornado de arabescos estranhos, absorta em sincera prece, ela ouviu a missa, celebrada pelo vigário Vicente Jorge de Sousa, cuja voz sonora e forte, recitando as orações do ritual, dominava os pigarros, as tosses incontinentes e o choro clássico das crianças que aguardavam o batismo, ocultas sob os lençóis das mães, que ali mesmo, as amamentavam. Rezou pela mãe entrevada, por Teresinha; rendeu graças a Deus pela libertação de Alexandre; e quando se ergueu a Hóstia, ao ruído de peitos percutidos, do som argentino da campainha, tangida pelo sacristão, José Fialho, um velho doce e respeitável, pediu ao Deus sofredor e resignado, ao Deus de amor e misericórdia, como Jesus pedira ao pai celestial perdão para os algozes que o flagelaram e o crucificaram, se apiedasse do infeliz soldado, vítima da insânia de uma paixão brutal. E, como se esse generoso impulso rompesse os diques à inefável caudal de consolação, sentiu-se alvoroçada de suavíssima alegria, desse gozo incomparável da alma purificada, expungida das sombras do remorso. Seus olhos, fitos no doce semblante da imagem da Virgem, se aljofraram de pranto, lágrimas de reconhecimento, porque Deus se compadecera de Luzia-Homem, ouvira a sua prece.

Às últimas palavras do sacerdote, recitando, de cor, o evangelho de São João[1], os fiéis se ergueram com sussurro, espraiaram-se pelo patamar, sob um sol intenso, e se dispersaram em todas as direções, descendo pelo suave declive do cúmulo, onde se ergue o templo, acrópole da cidade.

No átrio, do lado da pia d'água benta, bela concha de lioz, erecta no centro da pequena capela consagrada a São João Batista, dezenas de mães piedosas esperavam o batismo dos filhinhos, crianças sadias, nédias, sorridentes, espantadas, pequeninos seres informes, moribundos, esqueléticos e arroxeados, mal podendo emitir lamentoso vagido. Do outro lado, reunidos em grupos, estavam os nubentes,

---

[1] *São João*: no término da antiga liturgia da missa da Igreja Católica era lido o trecho inicial do Evangelho de São João. Como a língua usada era o latim, o povo não entendia nada. Essa leitura significava apenas o término da missa. (N. E.)

rapazes e moças, de olhos baixos, confusos, vexados como delinqüentes de amores criminosos, vindo pedir absolvição ao sacramento.

Luzia permaneceu, no recinto sagrado, ajoelhada, até que se esvaziou a imensa nave; e, quando se dispunha a sair, foi atraída pelo choro das crianças e pelo doloroso contraste das mães venturosas e das mães aflitas: umas, radiantes de amor; outras, tristes, acabrunhadas de mágoa, animando, desenganadas, as inocentes vítimas, para as quais a água lustral seria a extrema-unção.

— Se lhe fosse dado — pensava ela — casar como aquelas ditosas moças, realizando o supremo anelo da mãe doente; se o seu amor fosse, como o daquelas mães, matronas beneméritas, sorrindo aos filhos vigorosos, abençoado por Deus, experimentaria o inefável júbilo de sentir-se mulher, humanizada, completa e fecunda. Não temeria que os seus filhos definhassem; defendê-los-ia contra as moléstias traiçoeiras e as intempéries, inimigas das criaturas tenras, as flores e as crianças. Dos seus seios de Pomona[1], correria perene manancial de vida, que as pequeninas bocas rosadas sorveriam, sôfregas. E as suas entranhas virginais latejavam em alvoroço. Havia dentro dela, a insurreição dos gérmens da vida sofreados, e um clamor de instintos, entoando o hino de glória à maternidade vitoriosa.

— Vamos aos batizados — disse o vigário, chegando ao átrio, revestido de roquete rendilhado e cingindo estola roxa, de finíssimo lavor. — Os noivos não têm pressa, que esperem — acrescentou, atirando por cima dos óculos de ouro, um olhar de ironia aos grupos do outro lado.

Ao começar a cerimônia, Luzia se esgueirou e saiu, buscando a casa pelo caminho mais longo e afastado da cadeia, onde Crapiúna imprecava, ameaçador e furioso.

A mãe se arrastara até à porta do quarto, onde vigiava a panela fumegante, sobre a trempe de pedras, e ouvia Quinotinha ler, muito devagar, e por vezes soletrando, no jornal *O Sobralense*, a notícia dos episódios da audiência da véspera.

— Tudo isso — inquiriu a velha — está escrito aí?

— Está, sim, senhora — respondeu a rapariguinha — Aqui no fim tem um pé, que diz: "Alexandre, a vítima da perversa aleivosia do soldado, que, assim, desdoira a farda dos bravos heróis do Paraguai, companheiros de jornada gloriosa dos lendários Sampaio e Tibúrcio, é noivo de Luzia-Homem, a extraordinária mulher, que é uma das melhores operárias da construção da penitenciária."

Luzia ouviu o último tópico, e prorrompeu indignada:

— O quê? Pois falam de mim nas folhas?... Era só o que me faltava.

— Sim — afirmou Quinotinha sorridente — Veja!...

E as duas repetiram a leitura; a menina transbordante de alegria; ela, confusa, quase não acreditando nos seus olhos, diante dos

---

[1] *seios de Pomona*: Pomona era uma deusa dos etruscos, protetora dos frutos e dos jardins. Era também a deusa da primavera, época do ano em que a vida, que antes parecia extinta, renasce. Daí a atribuição a essa deusa da capacidade de gerar e manter a vida. (N. E.)

quais dançavam as colunas e letras do jornal, mal impresso na tipografia Miragaia, a primeira estabelecida em Sobral.

— Só vim aqui mostrar isto a vosmecês. Agora, vou indo que saí quase fugida — disse Quinotinha, partindo a correr.

— Vai, anda, levadinha — murmurou a velha sorrindo. — Essa menina é uma capeta. Sabe ler letra redonda! Vejam só!... Agora que chegaste, deixa-me descansar um pouco na rede, enquanto me preparas um caldo.

Luzia conduziu a mãe, e voltou a cuidar da cozinha. Atordoada ainda pela leitura do jornal, ficou algum tempo pensativa, percebendo, então, por que toda a gente a contemplava no trajeto para a igreja, por que tanto se arrebatava Crapiúna, e os cochichos das mulheres durante a missa. Era uma vergonha estar na folha com aquele horrível nome — Luzia-Homem, tanto se lhe agarrara o cruel estigma. Ao emergir desse cismar, olhou, de soslaio, para o caminho, e, divisando um vulto de homem que se aproximava devagar, correu para o quarto com a tigela de caldo para a mãe.

Era Alexandre que se aproximava, a passo indeciso e lento.

— Ó! da casa!

— É voz conhecida — observou a velha.

— É... é... — balbuciou Luzia comovida.

— Ó! de fora! Quem é? — respondeu a enferma, falando com esforço.

— Sou eu... tia Zefa.

— Eu quem?

— O Alexandre.

— Ah! meu filho! Não te dizia, Luzia?... Vai ter com ele.

Alexandre, fora do alpendre, raspava com a unha a casca seca de um dos esteios de pau branco. Deparando-se-lhe a moça, parada, indecisa, à porta do quarto, avançou para ela e a saudou com ligeiro sorriso.

— Adeus, sa Luzia.

— Adeus, seu Alexandre.

As duas mãos geladas, hirtas, mãos de autômatos, apenas se tocaram.

— Como está? — perguntou Luzia, de olhos baixos.

— Eu! Melhor de ontem para hoje, como quem saiu da prisão.

— É horrível!...

— Nem pode fazer idéia do que é...

— Abanque-se...

— Estou bem. A demora é pouca. Vinha saber como está tia Zefa e vosmecê.

— Boas, graças a Deus.

Houve pausa cruciante de enleio e vexame para ambos. Muito pálidos, muito comovidos, não sabiam mais que dizer. Luzia, por fim, rompeu o silêncio:

— O senhor viu por aí Teresinha?

— Esteve, ontem, comigo, à tardinha. Prometeu estar aqui hoje...

— Não veio desde ontem.

— É esquisito.

— É. Não acha? O senhor não quer falar com mãezinha? Pode entrar.

Alexandre entrou no quarto, e Luzia ficou só no alpendre, inteiriçada, imóvel, contemplando o céu, em êxtase. E assim ouviu as ruidosas manifestações da alegria da mãe, as perguntas precipitadas que ela dirigia a Alexandre, as palavras de consolação, afetuosas, sinceras, embebidas de maternal carinho.

— Venha sempre ver a gente — suplicava a velha, sorrindo.

— Virei, sim. Virei amanhã, se Deus quiser. Só tenho medo de importunar — respondeu Alexandre, com ligeiro tom de mágoa.

Sentindo Alexandre a seu lado, quando ele saiu do quarto, Luzia, arrancada de súbito à meditação, fez um gesto de susto. A atitude do moço era a de quem hesita em dizer alguma coisa, de abrir-lhe o coração, sufocado de ternura. Vencendo, por fim, o enleio, ele tirou do bolso os cravos murchos, e, como criança medrosa recitando um recado, murmurou:

— Aqui estão estas flores, que a senhora esqueceu no baldrame da grade da cadeia... Adeus... Até outra vez...

— Até... — suspirou ela arquejante, guardando as flores no seio, e apertando-as contra o peito, em frenético amplexo, enquanto ele lhe voltava as costas, e partia.

— Seu Alexandre!...

O moço estacou ansioso, não ousando encarar nela.

— Quero pedir-lhe uma coisa — disse a moça, caminhando para ele, vagarosa e humilhada. — Não repare... no que tenho feito... Sou má de nascença... Minha sorte é fazer os outros padecerem... Tenha dó de mim... Peço... Peço-lhe que me perdoe...

— Luzia! — exclamou ele, numa explosão de ternura, estendendo-lhe os braços para ampará-la, porque ela vacilava.

— Perdoe-me — repetiu a mísera, vencida, com voz angustiada, quase à surdina, estacando diante de Alexandre, que sorria.

XXVII

DIAS depois, soube Luzia do paradeiro de Teresinha.

Raulino contou-lhe como a encontrara, sucumbida, em amarga tristeza, a se penitenciar no serviço doméstico de uma família desconhecida.

— É possível — exclamou Luzia — que aquela pobre esteja vivendo de aluguel? Por que nos abandonou sem motivo?

— Eu não sei dizer — observou Raulino. — O que sei é que ela está servindo a uns retirantes ricos, aboletados na casa da fortaleza. Não me disse porquê. Ali há coisa. Se vosmecê se encontrar com ela, não a conhece.

— Coitadinha!

— Não é mais aquela mulherzinha espevitada e alegre. Não fala quase. A modos que lhe botaram mau olhado!

— Quem sabe se não a intrigaram comigo?

— Não duvido. Há gente para tudo. Quando eu lhe disse que íamos trabalhar nas obras da ladeira da Mata-fresca, ela ficou calada, maginando, e disse-me por aqui assim: "A Luzia é feliz; vai sair deste inferno... Eu é que estou condenada por toda a vida." E, como eu lhe inculcasse que devia abandonar aquela gente, os patrões, para vir conosco, abanou a cabeça, desanimada que metia pena... Ah! Sa Luzia! Imagine que a pobre faz todo o serviço; até trata de um burro velho, pele e osso, sem préstimo para nada.

— Se seu Raulino fosse comigo, iria vê-la.

— Ora, ora, ora!... É já. Que não farei eu para servir ao meu anjo da guarda? Olhe, benefício no meu coração pega de galho. Vamos por detrás do cemitério velho e, num instante, estamos lá.

Pelo caminho continuaram a conversar. Luzia marchava ligeira movendo o corpo com flexões de faceirice, a cabeça erecta, e o semblante sereno, rebrilhando ao júbilo de encontrar a amiga. Raulino aligeirava a travessia, contando, com a avidez contumaz do sucesso, as suas maravilhas, as suas histórias.

— Sabe — disse ela, abeirando ao assunto que a preocupava naqueles dias — que vamos morar na ladeira?

— Já sei. O Alexandre teimou em deixar o serviço da comissão. Eu, no caso dele, não largava o certo pelo duvidoso. Empregado, como está, não arranjará melhor arrumação. Enfim, pode ser que melhore. Na serra, a gente está mais à fresca, tem água com fartura.

— E vai para longe desse povaréu de pobres, esfomeados que cortam o coração... Não é?

— Lá isso é verdade. O doutô, engenheiro das obras pesque é inglês ou alemão. Não sei bem que língua ele fala. Bota o Alexandre no mesmo emprego que aqui tem, com uma gratificação de três mil-réis por dia, afora a ração. Quando é a viagem?

— Por estes dias. Talvez, depois d'amanhã.

— E eu rente...

— Também vai?

— Se estou nomeado feitor!... De mais a mais, já resolvi não largar de mão a gente que me quer bem. Comigo vai uma troça de rapazes de primeira ordem; homens que são mouros no trabalho.

— E eu que tenho pena de deixar aquela casinha, onde curti tantas amarguras!

— É assim mesmo. A gente tem saudade quando abandona o poleiro antigo; mas, ao depois, tendo junto os seus, se conforma depressa, e as saudades voam como folhas secas tangidas por um pé de vento.

— Quero ver se Teresinha também nos acompanha.

— Ela é meia bandoleira.

— Mas, tenho certeza de que me quer muito bem.

— Não digo o contrário. Experimente... E... a propósito... Sabe que o Crapiúna fez, outro dia, na cadeia um rolo danado? Estava como uma fera. Pensavam até que havia perdido o juízo.

Luzia sentiu percorrer-lhe o corpo intensa crispação de terror.

— Mas eu — continuou Raulino — disse logo que aquilo era cachaça.

— Quem sabe!... Talvez não — arriscou Luzia.

Haviam chegado ao renque de casas da Leonor, que terminava na casa mal-assombrada.

— É aqui — disse Raulino, indicando o pardieiro desengonçado. — Abeiremos às pedras da fortaleza. Teresinha deve estar nos fundos.

Junto dos rochedos a prumo, havia uma latada de palhas de carnaúba, recentemente construída para servir de abrigo ao burro, que ali estava de pé, sonolento, espantando, devagar, com açoites da cauda pelada, as moscas que erravam sobre as chagas da sarnelha e das espáduas, quase cicatrizadas numas manchas negras, lubrificadas com azeite de carrapato. Mais adiante, alguém lavava roupa, com um lânguido bater cadenciado de pano molhado, algumas peças enxombradas, arrumadas, em tulha, sobre um lajedo úmido.

— Teresinha! — chamou Luzia.

Cessou o rumor de lavagem, e Luzia insistiu.

— Teresinha, sou eu, Luzia!...

E, avançando de jacto, deparou-se-lhe a amiga, que se erguera, seminua, com uma saia a tiracolo, molhada, colada ao corpo.

— Que é isto? — exclamou Luzia, passando-lhe o braço nos ombros.

— Nada — suspirou a amiga, baixando os olhos, quase opacos, de infinita tristeza. — Estou pagando as minhas culpas...

— Ingrata! E eu que esperei, que passei noites em claro, pensando em você.

— Para que afligir os outros com a minha desgraça!

— Que desgraça! Deus teve pena de nós.

E, com um meigo gesto de ternura, conchegou-lhe a cabeça ao seio.

— Sou amaldiçoada...

— Amaldiçoada? Que maluquice! E por isso está servindo de negra cativa? Como está você mudada, magra! Como ficou outra em tão poucos dias!...

— Teresa, deixe, minha filha; não te mates tanto — disse, dentro de casa, uma voz carinhosa.

— Quem é? — perguntou Luzia.

— É... é... — balbuciou Teresinha, com os olhos trêmulos, rasos de lágrimas — É... minha mãe...

— Tua mãe?!

— Sim, ela mesma.

E contou como encontrara a família, contou as suas alegrias por se mais não achar só no mundo, desprezada e vilipendiada, alegrias que foram efêmeras, desfeitas pela cólera do pai que lhe recusara a bênção, e a tratava como estranha à família. Os carinhos da mãe, o doce contacto da irmãzinha, a suave Maria da Graça, que era um anjo de bondade, mal lhe leniam a rudez fulminante do golpe, que lhe lascara o coração, e o expusera, retalhado, à luz com as suas máculas, como chagas sangrentas, descascadas. Desde aquele momento, horrorizada de si mesma, obrigada a baixar os olhos diante dos entes queridos, sabedores do seu grande crime, e evitando o frio olhar paterno, se consagrara inteira à redenção do passado nefando, pelo castigo cruel e merecido.

— Tive ímpetos — concluiu ela, aos soluços — de trepar naquelas pedras e atirar-me de lá de cabeça para baixo, mas... não tive coragem de morrer...

— Deixa-te disso — acudiu Luzia, com ternura — Aqui estou eu para te ajudar, para te pagar o muito que me fizeste, porque se sou feliz, a ti é que devo e a Deus.

Vim atrás de ti. Iremos juntos para a serra, onde vamos trabalhar.

— Não posso... E meu pai?

— Teu pai, mãe, irmã irão mais nós. Alexandre encontrará meio de arrumar todos como uma família. Não é possível que, depois de vivermos como duas amigas, nos separemos, talvez para sempre.

— Se conseguisse isso, seria um alívio para mim. Pelo menos, deixaríamos esta casa maldita, onde não se pode pregar olhos toda a noite. Já vivo com o corpo moído; doem-me as cadeiras que, às vezes, não me atrevo a torcer-me; tenho nos ouvidos um besouro a zunir sem parar. Quando consigo passar por uma modorra, me vêm sonhos agoniados; sonho que me caem os dentes, o Cazuza me arrasta pelos cabelos para me atirar num despenhadeiro, e acordo em meio da queda. Esta noite senti mãos frias que me encalcavam o peito, mãos de defunto a me sufocarem, e ouvi uma voz fanhosa a dizer coisas sem pé nem cabeça. Despertei com o coração a saltar pela goela. Vi, então, um vulto branco que se desmanchava no ar, com um gemido surdo e.. gritei... Mamãe, que passa a noite a rezar, correu a ver o que era... Eu estava, como quem perdeu o juízo, apontando para o fundo escuro do quarto... Ah! Luzia! Nem pode imaginar o que tenho sofrido...

— Coitadinha!...

— Hoje de manhã, quando mamãe contou o caso a meu pai, ele respondeu... Que foi que ele disse? Deixa ver se me lembro... Ah!... Não se amofine, mulher; é o remorso. Depois, acrescentou com voz mais branda: Veja se arranja uma retirante limpa para certos serviços, para que ela não se mate tanto... Dando casa e comida, não falta quem queira trabalhar.

O burro, num acesso de impaciência, orneou.

— Está pedindo milho — observou Teresinha — Este malvado é os meus pecados. Estava quase morto; não se dava nada por ele. Recobrou as forças, comendo da minha mão; e, quanto mais o trato, mais manhoso fica. Parece de propósito para judiar comigo. Se o ponho a andar, empaca; fica como uma pedra; não se mexe. Outro dia ao passar por ele, mordeu-me de furto... E é só comigo que ele implica.

— Tem paciência, minha negra. O que estás padecendo é bem recompensado pela fortuna de haveres encontrado tua família.

Raulino, que estivera à parte, examinando o animal enfermo, com olhares magistrais de conhecedor, aproveitou o ensejo para encartar uma das suas anedotas sobre astúcias e manhas de burros.

— Era por volta da era de sessenta. Não me lembra bem o ano; só sei que eu era rapazote; pelo tope dos doze. Andava por estes sertões uma comissão de doutores, observando o céu com óculos de alcance, muito complicados, tomando medida das cidades e povoações e apanhando amostras de pedras, de barro, ervas e matos, que servem para meizinhas, borboletas, besouros e outros bichos.

Os maiorais dessa comissão eram homens de saber, Capanema, Gonçalves Dias, Gabaglia, um tal de Freire Alemão, e um doutô médico chamado Lagos e outros. Andavam encoirados como nós vaqueiros; davam muita esmola e tiravam, de graça, o retrato da gente, com uma geringonça, que parecia arte do demônio. Apontavam para a gente o óculo de uma caixinha parecida gaita de foles e a cara da gente, o corpo e a vestimenta saíam pintados, escarrados e cuspidos, num vidro esbranquiçado como coalhada. Uma tarde, chegaram, ao pôr-do-sol, à fazenda do velho. Iam no rumo da gruta do Ubajarra. Aboletaram-se no copiar, derrubando o comboio, que era um estandarte de malas, instrumentos, espingardas, na casa dos passageiros. Depois de jantarem um bom trassalho de carne de vaca gorda que parecia um leitão, assada no espeto, algumas lingüiças e um chibarro aferventado com pirão escaldado, armaram as redes nos esteios. Veio a noite, clara como dia, sem uma nuvem no céu, liso como um espelho. Convidava mesmo a gente a dormir na fresca do alpendre. Ali pelas sete horas, disse a eles o velho: "Achava melhor vossas senhorias passarem cá para dentro, porque vem aí um pé d'água de alagar." Ora, os doutores, que sabiam tudo e adivinhavam pelas estrelas as mudanças de tempo, zombaram do aviso; saíram para o terreiro e olharam para o céu, sempre limpo e claro, para verem o que diziam as estrelas. O mais sábio deles, o doutô Capanema, disse que o velho estava sonhando com chuva, mania de sertanejos, que não pensam noutra coisa. Teimaram em ficar no alpendre, embora o velho continuasse a assegurar que se arrependeriam. Quando estavam ferrados no sono, ali pelas onze horas, acordaram debaixo d'água e correram com a rede nas costas, em procura de abrigo dentro de casa, todos admirados uns dos outros, como haviam mangado do velho. De manhã, antes de deixarem o rancho, foram agradecer a hospedagem, e um deles perguntou ao velho: "Como é que vossa senhoria percebeu sinais de chuva, que escaparam a nós outros científicos, envergonhados do quinau de mestre que nos deu?" O velho sorriu, e respondeu: "É muito simples. Tenho ali, no cercado, um burro velho que, quando se está formando chuva, rincha de certo modo: é aquela certeza. A chuva vem sem demora. Foi por isso que avisei a vossa senhoria." O tal de Gonçalves Dias, pequenino, muito ladino e esperto, começou a bulir com os outros, dizendo a eles: "Estamos numa terra, onde burros sabem mais que astrônomos." Foi gargalhada geral. Aí está — concluiu Raulino — de quanto é capaz um burro velho. Ninguém se fie em semelhante raça de bicho...

Dispunha-se a contar outras histórias, quando apareceram Clara e Maria da Graça, que já conheciam Luzia, por informações de Teresinha.

— A Teresa — disse Clara, com voz lenta e meiga — quer muito bem à senhora e eu já lhe quero também muito pelas ausências que ela lhe fez.

— Esta é a Luzia-Homem? — perguntou a ingênua Maria da Graça — Pois é bonita moça. Não tem nada de homem... Não é, mamãe?...

— É apelido que lhe puseram, filhinha. Não digas mais semelhante palavra.

— Não faz mal — observou Luzia, visivelmente enleada. — É assim que me tratam.

— Perdoe — balbuciou a rapariga — Pensei que era mesmo o seu nome...

E, logo, houve palestra cordial, como se fossem conhecidas de longa data. O projeto da mudança para a Meruoca foi acolhido com entusiástica alegria; mas faltava o essencial: o consentimento de Marcos. Não ousando a mulher e a filha consultá-lo, Raulino e Luzia resolveram procurá-lo para saberem a sua opinião.

Marcos estava na sala da frente, sentado na rede branca, enfeitada a ponto de marca, com vistosas ramagens vermelhas e largas varandas franjadas, arrastando na esteira, onde ele deixara, em desalinho, um livro, *As Missões Abreviadas* marcado com os óculos de oiro, o lenço de ganga azul e uma caixa de rapé de tartaruga, restos da abastança perdida. Com as largas mãos descarnadas, eriçadas de pêlos, sustendo a cabeça, vergada ao peso das idéias tristes que a povoavam, o velho meditava, baloiçando-se lentamente.

Raulino chegou à porta; Luzia após ele.

— Dá licença, seu capitão Marcos — disse Raulino, cortesmente.

— Quem é? — respondeu o velho, tomado de surpresa.

— É de paz.

— Queira entrar...

O velho ergueu-se; examinou-os com os pequenos olhos azuis e profundos; demorou-os sobre Luzia alguns instantes; e, indicando as malas que, com as redes, davam a mobília da sala, principiou, com uma pausa triste, a voz seca, penetrante e cava:

— Abanquem-se. Não ignorem a desarrumação, pois somos com boieiros de passagem.

— Eu e esta moça somos muito camaradas de sua filha, dona Teresinha.

Marcos tornou-se lívido. Raulino continuou, com a desenvoltura de homem despachado e ladino:

— E sabemos que a vossa senhoria não se lhe daria de achar uma arrumação...

— Ainda tenho algumas migalhas — atalhou o velho — para não morrer à fome...

— Sabemos; mas, não seria mau ganhar alguma, ainda que só chegue para o prato.

— Contanto que seja serviço ao alcance de minhas forças... Eu já não posso com trabalhos puxados...

— Não há dúvida. É serviço nas posses de vossa senhoria, nas obras do Governo...

— Onde é isso?

— Na Meruoca...

— Já lá estive, há muitos anos, em compra de farinha.

— Então está feito? Nós ficamos muito agradecidos a vossa senhoria, que nos faz um favorão. Esta moça é sa Luzia-Homem. Ela estava com acanhamento de falar.

— Eu não sou mau, dona — murmurou o velho, compungido. — Os desgostos me puseram assim. Era feliz, na minha fazenda, uma situação bem boa, que não me dava cabedais, mas produzia com que viver sem ser pesado a ninguém. Entrou-me, um dia, de repente, a desgraça em casa e fugiu-me, para sempre, o sossego. Vi... minha santa mulher envergonhada; ela e a filha caçula a chorarem, escondidas pelos cantos para me não amargurarem. Eu mesmo, tão ralado na vida, parecia oco, sem alma, como se me houvessem roubado o coração. E saía atrás dele, à toa pelo mato, como um desmiolado, em procura da filha ingrata, que o levara. Dias e noites, passei na aflição de sentir-me atolado na lama, estas barbas sujas, evitando os amigos e conhecidos, que me procuravam. Eu tinha vergonha de encarar nos próprios bichos, quanto mais em cristãos, que conheciam a infâmia... Pedi a Deus que me matasse, e Deus não me ouviu... Conservou-me a vida para castigo meu, para que eu ficasse no mundo como um condenado... Depois, o tempo foi roendo o que me restava de melindre. A negra chaga fechou por fora; mas continuou alastrando por dentro... Afinal, a gente se acostuma a tudo... Rezei por alma da ingrata e jurei que, dali em diante, só existiria para mim a filha mais moça, essa inocente que não tinha culpa da crueldade da outra...

A voz do velho rangia-lhe na garganta, em vibrações metálicas; tinha as modulações pungentes do estertor de uma alma estrangulada pelo mais querido dos afetos.

— Moça — continuou ele, erguendo-se e dirigindo-se a Luzia, que o contemplava, comovida. — A senhora é mulher de bem; possui mãe, tem pai?... Conserve a sua honra; defenda-a mesmo a preço da própria vida... Há filhos que matam os pais... Pois há piores monstros da natureza — as filhas que os desonram... Os mortos deixam de sofrer; mas, os vivos, infamados de dor e vergonha, ficam com a alma enferma para sempre...

— Teresinha também tem sofrido tanto — observou, a medo, Luzia.

— Não me falem nela, se querem que os acompanhe... Se a ela perdoasse, era capaz de matar-me outra vez — murmurou o velho, cujos olhos azuis fulgiram num relâmpago de cólera.

Clara ouvia de longe, atrás duma porta, esse doloroso colóquio. Não ousou entrar na sala para ajudar Luzia na defesa de Teresinha tanto conhecia as crises terríveis daquela mágoa inextinguível; mas os seus lábios trêmulos, lábios doloridos de mãe amantíssima, nuns estos brandos de ternura, murmuravam, súplices, desconsolados:

— Pobre da minha filhinha!...
Parece que a açoitam diante de mim, a minha filha do coração.

XXVIII

O sol repontava no horizonte, como um rubro e enorme disco, surgindo de um lago de oiro incandescente, quando o cortejo do êxodo se pôs em marcha, pela estrada da serra.

Luzia percorreu, com enternecimentos de saudade, os recantos da casa vazia, onde ficavam o pilão, o jirau da latada, a trempe de pedra, os tições extintos, enterrados sob tulhas mornas de cinza, tristes vestígios dos habitantes que a abandonavam. Contemplou, com lágrimas comovidas, o lar apagado, o terreiro, em torno, limpo, varrido, as árvores mortas, os mandacarus carcomidos até ao alcance dos dentes dos animais vorazes, a paisagem triste, coisas mudas e mestas, que se lhe afiguravam companheiros de infortúnio, dos quais se despedia para sempre. E partiu, conduzindo, à cabeça, uma pequena troixa.

Seis possantes rapazes e Raulino iam à frente, revezando-se na condução da tia Zefa, estirada na rede, amarrada a um caibro longo e flexível. A bagagem, duas malas e os cacarecos de serventia doméstica, foi levada na véspera por outros trabalhadores e Alexandre, que se adiantara para preparar a nova morada, o ninho da ventura sonhada. A família de Marcos também partira com ele.

Ao passar a rede pelas últimas casas da Lagoa do Junco, perguntavam as mulheres debruçadas sobre as janelas:

— Vai vivo ou morto?

— Bem viva, graças a Deus, respondia Raulino.

— Deus a conserve. Boa viagem!

Luzia lançou demorado olhar ao morro do curral do Açougue, onde começava de alvejar, de reboco, a penitenciária, enleada na floresta de andaimes, quase pronta para receber a cumeeira. E ocorreu-lhe, como recordação piedosa, a triste sina dos condenados que ali ficavam, por toda a vida, encerrados, como em sepultura de pedra e cal. Dentre eles, surgia o espectro minaz de Crapiúna, cujos gritos terríveis de desespero ecoavam ainda no coração dela, por mais que se esforçasse por varrê-los da memória, e libertar-se da implacável obsessão, que lhe toldava a serenidade do amor vitorioso.

Desviando os olhos do morro sinistro, que fora o seu Calvário de vilipêndio, compensado pela florescência dos instintos sagrados e do afeto redentor de Luzia-Homem, ela resfolegou aliviada, como se dentro daquelas paredes maciças, colossais, ficassem encarcerados o passado, as mágoas, os dissabores dos opressivos dias de miséria.

A estrada coleava pelo terreno ondulado, cômoros calvos e vales cortados pelos sulcos dos regatos extintos, e alteando insensivelmente, ao passo que, com a montanha, se aproximavam, cada vez mais nítidos, o arvoredo, as manchas peladas dos roçados estéreis, as cintas de granito, os talhados a pique, em precipícios medonhos, e grotões sombrios, destacados, num esmalte bronzeado de nebrina vaporosa.

Madrugadores serranos desciam para a cidade, dirigindo comboios de farinha, de rapadura, o derradeiro produto da lavoira agonizante. Troteando à cadência do ranger das cangalhas, eles saudavam aos viajantes, repetindo a pergunta caridosa: "Vai vivo ou morto?" — quando, tirando o chapéu, se afastavam para darem passagem à rede da tia Zefa.

À margem da estrada, dentre moitas de mofumbos ressequidos e juremas desgrenhadas, uns fios de fumo azulado erguiam-se, em tênues espirais, dos ranchos de retirantes, acordados àquela hora da manhã, e pedindo, plangentes, uma esmolinha pelo amor de Deus.

Depois de duas horas de marcha, interrompida a espaços, para descanso dos carregadores, tornou-se o solo mais acidentado em sucessivas colinas e contrafortes tortuosos, dilatados, como raízes colossais pelo sertão, partido em vales profundos, refrescados pelas filtrações da serrania, sombreados por vegetação da folhagem pardacenta, retorcida e crestada. Mais longe, uma descida íngreme, sobre estratificações da piçarra cortante, os levou ao sopé da montanha, onde começava a ladeira, e apareciam as primeiras árvores, os oitizeiros frondosos, cedros, paus-d'arco e angicos em floração estiolada, contornando o riacho da Mata-fresca, do qual restava intermitente fio d'água a deslizar sobre lages, e gotejando de pedra em pedra, como vagarosa lágrima. O séquito parou ao abrigo de grandes rochedos, rolados e amontoados em confusão, por esforço titânico. Forte aragem rumorejava encanada pelo boqueirão, com um ruído de mar longínquo.

— Estamos quase em casa! — exclamou Raulino. — Mas o rabo é o mais difícil de esfolar. Ainda temos um pedaço de ladeira de suar o topete. Se pudéssemos ir pelo atalho, encurtaríamos metade do caminho, mas a rede não pode passar na vereda cheia de voltas, troncos e barrancos que é mesmo uma escada de demônios.

— Não há dúvida, seu Raulino — observou um dos rapazes, limpando, com o dedo, o suor que lhe perolava a fronte. — Nem que fosse carga mais pesada; nós somos cabras de talento; vamos bater lá num fôlego, quanto mais a tia Zefinha que é leviana como uma pena.

— Vocês são mas é uns prosas — tornou o sertanejo, ironicamente. — Vejam como estão melados! Com qualquer forcinha ficam botando a alma pela boca. Vamos ver se chegamos à Cova da Onça sem arriar. Um trago da branca está esperando a gente lá em riba. Vosmecê, sa Luzia, que é ligeira, vá pelo atalho que é melhor. Quando chegar no primeiro cotovelo da ladeira, quebre a mão esquerda por uma vereda trilhada, que desce de cabeça abaixo; chega no fundo da grota; passa entre dois muros de pedra; atravessa o riacho e sobe por dentro de um bananal. Chegando na lombada do oiteiro, avista logo a casinha no meio de laranjeiras.

— Você já esteve aqui, seu Raulino? — inquiriu Luzia.

— Ora, ora, ora! Eu conheço o oco do mundo. Oh! Aqui vai a Teresinha. Veja o rasto dela, pequenino, delgado no meio que não toca no chão. Se apertar o passo ainda a pega, porque ela vai cansada. O rasto miúdo e encalcado mostra que vai devagar... Eu rastejo, como se lesse no chão, até por cima da pedra, folharal e até dentro d'água...

E, voltando-se para os carregadores:

— Vambora! Pega de jeito; acerta o passo, cabroeira mofina!...

Vamo, vamo, que é meio-dia... Agüenta o balanço! Aonde vocês botam o pirão que comem? Até daqui a um tiquinho, sa Luzia...

E seguiram, em festiva algazarra, estimulando-se com gritos, graçolas que repercutiam, com fragor, nas quebradas do boqueirão. Raulino os tangia com ordens de comando, emitidas no tom gutural dos vaqueiros, voz retumbante, que ele pretendia fosse ouvida a léguas.

Luzia foi subindo após eles, sem esforço, lentamente, até à primeira volta da ladeira, daí em diante cavada na aresta das rochas, talhadas, a prumo, sobre o grotão profundo. Desse sítio agreste, descortinou o panorama do sertão, cinzento de mormaço, terminando no recorte azulado das serranias, ao nascente, avultando, erectos, denteados e finos, como agulhas de catedral gótica, os picos, que eriçam as crateras extintas dos Olhos-d'Água do Pajé. Uma facha verde-escuro, serpeando a perder-se no horizonte, assinalava o interminável renque de oiticicas seculares, marcando o sulco do rio estanque; depois espelhavam ao sol glorioso daquele dia abrasador, a cidade em agrupamento informe, apenas esboçado, as casas das fazendas abandonadas, ponteando, aqui e ali, a planície devastada e quieta, como um imenso pântano.

Enternecida na contemplação daquele espetáculo extraordinário, na sua tristeza de paisagem morta, o sertão devastado como a terra combusta do Profeta, ouvia o festivo alarido dos silvos das cigarras escondidas nos troncos vetustos, e hauria o ar fresco da montanha, embalsamado pelo capitoso perfume das imburanas, a descascarem, numa exuberância magnífica de seiva.

Desse enlevo, arrancou-a o brado longínquo de Raulino, gritando aos carregadores da rede. Do outro lado do desfiladeiro, mais longe ainda, Alexandre, do terreiro da casinha, respondia, radiante de alegria pela aproximação dos entes queridos.

Obedecendo à indicação do sertanejo, Luzia desceu pela tortuosa ladeira, que ia no fundo da grota, e, sustendo-se nos arbustos das margens para não escorregar, colhendo flores silvestres, parando, a revezes, para desembaraçar as vestes dos espinhos que a detinham, chegou à garganta, que Raulino designara por dois muros de pedra, duplo dique donde se despenhava, em catadupas, o riacho, quando Deus dava ao Ceará chuvas benfazejas e fecundantes. Erguendo a saia, ela fruiu a delícia, havia muito não gozada, de imergir n'água sussurrante, os pés pequeninos, as pernas roliças e musculosas, adornadas de aveludada pelúcia negra. Com as vestes presas ao joelho, curvou-se, colheu aljôfares cristalinos, nas palmas côncavas das mãos, e banhou o rosto e os cabelos, polvilhados pela poeira do caminho.

Interrompeu-a pavoroso grito, e uma voz, que ela, transida de terror, reconheceu, rugiu:

— Foi o diabo que te atravessou no meu caminho. É a última vez que me empatas, peitica do inferno!...

Luzia, na confusão da surpresa, tentou recuar, esconder-se nas fendas dos rochedos; mas, vencendo o impulso de cobardia, e avançando, cautelosa, deparou-se-lhe Teresinha, na outra margem da torrente, alucinada de terror, agitando, frenética, os braços, presa a voz na garganta e as pernas paralisadas, chumbadas ao solo. Aquém, arquejava Crapiúna em estos de cólera, tentando galgar as pedras que os separavam.

— Desta vez — grunhia o soldado — nem Deus te acode, ladra ordinária. Fugi, durante a faxina da madrugada, para vir lavar o meu peito... Ah!... Vais ver para quanto presto, cachorra!...

Em convulsão de nervos enrijados, Teresinha estertorava agoniada, agitando, com uns acenos epilépticos, as mãos desarticuladas.

— Deixe a rapariga, seu Crapiúna — bradou Luzia, avançando, resoluta e destemida.

O soldado voltou-se como um tigre, ferido pelas costas.

Diante da moça, em postura de firmeza impávida, magnífica de vigor e de beleza, o soldado empalideceu, fez-se lívido, e recuou, como se um prestígio sobre-humano lhe aplacasse os ímpetos incoercíveis de cólera e de vingança.

— Luzia! — murmurou ele, quase súplice — Não lhe quero fazer mal... Sou um desgraçado, um miserável... Pedi-lhe outro dia, pelo amor de Deus, um instantinho de atenção. Não fez caso; não teve dó de mim... Agora vai se decidir a minha sorte...

— Arrede-se; deixe-me passar!... — intimou Luzia, com força, num tom imperativo, breve e seco.

— Escute-me, meu coração... Nenhum homem neste mundo lhe quer bem como eu.

— Deixe-me passar!...

— Passar!?...

Luzia avançou agressiva.

— Pensas — continuou Crapiúna, recuando, transfigurado o rosto por diabólico sorriso — Pensas que tenho medo de Luzia-Homem? Desgraça pouca é bobage...

E atirou-se de um salto sobre Luzia, que, empolgando-o quase no ar, o torceu, e, atirando-o ao chão, subjugado, comprimiu-lhe o peito com os joelhos.

O séquito parara na Cova da Onça, cerca de cem metros de altura, donde se viam, distintamente, os lutadores.

Crapiúna gemia, espumava de raiva, medonho, sob a pressão inexorável que o esmagava.

— Miserável, miserável! — gritava Luzia, rubra de pudor, de cólera, procurando deter as mãos crispadas do soldado a lhe rasgarem o vestido — Alexandre!... Raulino!...

A voz vibrante de angústia retumbou nas quebradas do boqueirão, como um clangor de clarim, e a de Raulino Uchoa respondeu como um eco:

— Agüente; tenha mão nesse malvado, que já vou!...

Aproveitando um movimento da rapariga para compor o traje, Crapiúna ergueu-se, e recuou de salto. Arquejava de cansaço, e da boca lhe borbulhava sangrenta espuma. Os olhos, injetados, fulgiam de volúpia brutal, louca, fixando-se desvairados em Luzia, desgrenhada, o seio nu e as pernas esculturais a surgirem pelos rasgões das saias, caídas em farrapos.

Ébrio de luxúria, exasperado pela invocação de Alexandre, o monstro, recobrado o alento, acometeu-a, rugindo.

Luzia conchegou ao peito as vestes dilaceradas, e, com a destra, tentou lhe garrotear o pescoço; mas, sentiu-se presa pelos cabelos e conchegada ao soldado que, em convulsão horrenda, delirante, a ultrajava com uma voracidade comburente de beijos. Súbito, ela lhe cravou as unhas no rosto para afastá-lo e evitar o contacto afrontoso.

Dois gritos medonhos restrugiram na grota. Crapiúna, louco de dor, embebera-lhe no peito a faca, e caía com o rosto mutilado, deforme, encharcado de sangue.

— Mãezinha!... — balbuciou Luzia, abrindo os braços e caindo, de costas, sobre as lajes.

Raulino precipitara-se no despenhadeiro. Agarrando-se aos arbustos encravados nos interstícios dos rochedos, escorregando onde o penhasco se inclinava em rápido declive, saltando com energia indômita por sobre as fendas, pendurando-se nos cipós que entreteciam a floresta, atufando-se nas frondes das árvores, passando de uma a outra com agilidade de símio, ou deslizando pelos troncos nodosos, enleados de orquídeas, chegou ao fundo da gruta.

Lá, em cima, se ouviam os brados dos carregadores e os grandes gemidos dilacerados da mãe angustiada:

— Meu Deus, Mãe Santíssima, valei-a, salvai a minha filhinha!...

Momentos depois, o sertanejo surgiu do matagal, perto das pedras do riacho, ofegante do esforço da fantástica descida, atassalhada a roupa, escoriados os braços e pernas pelos espinhos, as mãos feridas, ensangüentadas.

Luzia, hirta e lívida, jazia seminua. Nos formosos olhos, muito abertos, parecia fulgir ainda o derradeiro alento. Os cabelos, numa desordem, escorriam pela rocha, forrada de lodo, e caíam no regato, cuja água, correndo em murmúrio lâmure, brincava com as pontas crespas das intonsas madeixas flutuantes. Na destra crispada, encastoado entre os dedos, encravado nas unhas, extirpado no esforço extremo da defesa, estava um dos olhos de Crapiúna, como enorme opala[1], esmaltada de sangue, entre filamentos coralinos dos músculos orbitais e os farrapos das pálpebras dilaceradas. Sobre o seio, atravessado pelo golpe assassino, demoravam, tintos de sangue, como se reflorissem cheios de seiva, cheios de fragância, os cravos murchos que lhe dera Alexandre.

Raulino recuou, cortado de terror, ante o cadáver; e, num turbilhão de cólera, rugiu, arrepiado, apertando os dentes, e, com uns gestos, que eram crispações medonhas de fera, esquadrinhou o terreno, buscando e rebuscando o criminoso.

Crapiúna, ganindo de dor, estorcia-se, erguia-se, nuns movimentos loucos, comprimido, sob as mãos, o rosto mutilado; caía e erguia-se de novo, até que rolando de pedra em pedra, se sumiu no precipício...

---

[1] *opala*: pedra semipreciosa de cor leitosa. (N. E.)

Voltando, então, para junto do corpo de Luzia, Raulino curvou-se compungido; apalpou-lhe o peito, ainda morno; e, aproximando os lábios da divina cabeça da heroína, gemeu com intensa amargura, as palavras doloridas de unção aos moribundos:

— Jesus!... Jesus!... Seja contigo! Jesus, Maria e José!...

Impresso por
W. Roth & Cia. Ltda.